MARIA STUART

Macmillan's Modern Language Texts

★

HEINE: A VERSE SELECTION
Edited by G. W. Field

LESSING: MINNA VON BARNHELM
Edited by H. B. Garland

GRILLPARZER: SAPPHO
Edited by Keith Spalding

Schiller
MARIA STUART

EDITED BY

WILLIAM WITTE
Professor of German in the University of Aberdeen

MACMILLAN
London · Melbourne · Toronto

ST MARTIN'S PRESS
New York
1965

MACMILLAN AND COMPANY LIMITED
Little Essex Street London WC2
also Bombay Calcutta Madras Melbourne

THE MACMILLAN COMPANY OF CANADA LIMITED
70 Bond Street Toronto 2

ST MARTIN'S PRESS INC
175 Fifth Avenue New York 10010 NY

PRINTED IN GREAT BRITAIN

Preface

IT is one of the marks of a literary masterpiece that it keeps presenting new facets to successive generations of readers; though it may go temporarily out of fashion, it can never be out of date. Some fifty years ago, it was not uncommon to find critics regarding Schiller as *démodé*, a period piece, a wasting asset in the balance-sheet of German literature. Great writers, however, have a disconcerting way of outliving fashions in criticism. The critical reappraisal of recent years has produced a growing awareness of the modernity of Schiller's work; as one reads his writings today one is struck again and again by their relevance to the events and problems — political, social, and spiritual — of our own age.

Maria Stuart is a case in point. In 1958 a new English version by Stephen Spender was performed, first at the Edinburgh Festival and subsequently in London. In an article published on that occasion (*New Statesman*, 4 October 1958), Mr. Spender underlined what seemed to him one of the chief merits of Schiller's play: 'There is a vision of the role of necessity in history, and a horror of the corruption of power, and these are relevant to a contemporary audience.' No less relevant, it may be added, is the crisis of the individual conscience when it finds itself confronted by the arbitrary exercise of power — especially at a time when many people are all too willing to divest themselves of that personal responsibility without which there can be no freedom. These are aspects of the play which may not have struck readers of a pre-totalitarian era with the same force; but they are there, plain to see for all who care to look for them. What happens when considerations of right and wrong are bedevilled — as they so often are — by political ambition, by national sentiment and rival ideologies, when statesmen talk in terms of justice but think in terms of expediency, when parties to a dispute insist on being judges in their own cause and the law becomes an instrument of policy? And what is the role of the individual conscience in such a situation? Schiller's *Maria Stuart* offers an exciting analysis of such questions, and I hope that the present edition will help to communicate this excitement to a new generation of students.

Section IV of my Introduction ('*Maria Stuart* — A Travesty of History?') is adapted from an essay, entitled 'Schiller's *Maria Stuart* and Mary, Queen of Scots', which appeared in a volume published in honour of Professor Emeritus Hans Heinrich Borcherdt on the occasion of his seventy-fifth birthday: *Stoffe, Formen, Strukturen*, Munich, 1962. I have to thank the editors, Professors Helmut Motekat (Munich) and Albert Fuchs (Strasbourg), for kindly allowing me to reprint.

As on previous occasions, I am indebted to Dr. W. Douglas Simpson, our University Librarian, and to his staff for many indispensable services, performed with unvarying courtesy and efficiency.

My wife has once again helped me in all sorts of ways. Proverbs, xxxi, 26: Os suum aperuit sapientiae, et lex clementiae in lingua ejus.

W. W.

KING'S COLLEGE, ABERDEEN
November 1964

Contents

vii

Chronology of Schiller's Life and Works

1759, November 10. Johann Christoph Friedrich Schiller born at Marbach (Swabia); second child of Lieutenant Johann Kaspar Schiller and his wife Dorothea (*née* Kodweiss), the daughter of an innkeeper at Marbach.

1764–66. Primary education at the village school at Lorch.

1766. The family move to Ludwigsburg near Stuttgart.

1767–72. Schiller attends the grammar school at Ludwigsburg.

1773, January 16. Schiller enters the 'Karlsschule', a military academy founded and personally supervised by Duke Karl Eugen of Swabia. (The Academy provided both secondary education and university courses.)

1774. Begins to study law.

1776. Changes over to medicine.

1779. Schiller's first thesis, *The Philosophy of Physiology*, fails to satisfy the examiners.

1780. Schiller submits his second thesis (dealing, like the first, with the mind–body problem), *Über den Zusammenhang der tierischen Natur des Menschen mit seiner geistigen*; it is accepted and printed, and gains him his qualification as a medical practitioner. He is appointed to a poorly paid post as an army surgeon, without officer's rank.

1781. Schiller's first play, *Die Räuber*, is published, anonymously and at his own expense.

1782, January 13. A revised version of *Die Räuber* is successfully performed by the National Theatre at Mannheim in the Palatinate. Schiller travels to Mannheim without leave in order to see the first performance of his play.

February. Publication of a book of early poems: *Anthologie auf das Jahr 1782*.

Schiller is sentenced to a fortnight's detention for having been absent from duty and travelled outside Swabian territory without leave. The Duke forbids him to write any more plays or to communicate with any person outside Swabia.

September 22. Schiller deserts and goes to Mannheim. His second play, *Die Verschwörung des Fiesco zu Genua*, is

rejected by the Mannheim theatre. He is almost penniless.
A friend, Henriette von Wolzogen, offers him a temporary
refuge at her country house at Bauerbach, where he stays
from December 1782 until July 1783.

1783. *Fiesco* appears in print. Schiller completes his third play,
Kabale und Liebe. He accepts a post as resident playwright
with the Mannheim National Theatre. First severe illness.
His financial position remains precarious.

1785. At the invitation of four unknown admirers Schiller goes to
Saxony; he lives at Leipzig, at the village of Gohlis, and at
Dresden as the guest of Christian Gottfried Körner, who
becomes his intimate friend.

1787. Publication of *Don Carlos*. Schiller goes to Weimar, where
he meets Wieland and Herder.

1788. Publication of the *History of the Revolt of the Netherlands*.
First meeting with Goethe (back in Weimar after his two
years' stay in Italy). Schiller is appointed Professor of
History in the University of Jena.

1789. Schiller moves to Jena. He delivers his inaugural lecture
(May 26). Engagement to Charlotte von Lengefeld. Publication of the (unfinished) novel *Der Geisterseher*.

1790. Marries Charlotte von Lengefeld (February 22). Lectures
on the theory of tragedy. The first part of his *History of the
Thirty Years War* appears.

1791. Critically ill; incomplete recovery followed by permanent
ill health. Two Danish patrons — Prince Friedrich Christian of Holstein-Augustenburg and Count Schimmelmann
— offer Schiller a pension of 1,000 thalers p.a. for three
years.

1792. Study of Kant. The French National Assembly confers
honorary French citizenship on 'le sieur Gille, publiciste
allemand'.

1793. The essay *Über Anmut und Würde* appears in Schiller's
own journal *Neue Thalia* (launched as *Rheinische Thalia* in
1785, continued as *Thalia* and *Neue Thalia* until 1793).
Visit to his native Swabia, where his first son is born on
September 14 (Karl Friedrich Ludwig).

1794. Schiller meets the publisher Johann Friedrich Cotta. He
returns to Jena. Plans are laid for a new literary journal,
Die Horen, to be published by Cotta, with Schiller as
general editor. Beginning of Schiller's correspondence with

Goethe, and of their friendship. Friendship with Wilhelm von Humboldt.

1795. The first issue of *Die Horen* appears. Completion of the *Letters on the Aesthetic Education of Man*. Some of Schiller's greatest reflective poems appear: *Das Ideal und das Leben*, *Der Spaziergang*, *Die Macht des Gesanges*, *Die Teilung der Erde*, *Der Tanz*.

1795–96. *Über naive und sentimentalische Dichtung*, a classic of German criticism and one of the principal sources of German Romantic theory, published in *Die Horen*.

1796. Schiller and Goethe jointly produce a collection of polemical and satirical distichs: *Xenien* (i.e. 'hospitable gifts').

July 11. Birth of Schiller's second son (Ernst Friedrich Wilhelm).

September 7. Death of Schiller's father.

1797. 'The year of ballads': *Der Handschuh*, *Der Taucher*, *Die Kraniche des Ibykus*, *Die Bürgschaft*. Schiller's work frequently interrupted by illness.

1798. The journal *Die Horen* ceases publication. The first two parts of *Wallenstein* completed; the first part (*Wallensteins Lager*) first performed on October 12.

1799, January 30. First performance of Part 2 of *Wallenstein* (*Die Piccolomini*), followed on April 20 by the first performance of Part 3 (*Wallensteins Tod*).

Schiller starts work on *Maria Stuart*.

Das Lied von der Glocke completed in September.

October 11. Birth of a daughter (Karoline Henriette Luise). Schiller's wife gravely ill.

December 3. Removal to Weimar.

1800. Adaptation of *Macbeth* for the German stage. Serious illness. *Maria Stuart* completed; first performance on June 14.

1801, April. *Maria Stuart* appears in book form.

Schiller completes his next play, *Die Jungfrau von Orleans*; first performed at Leipzig on September 11.

German adaptation of Carlo Gozzi's *Turandot*.

1802, April 29. Death of Schiller's mother.

November. Schiller receives an imperial patent of nobility; he now calls himself Friedrich von Schiller.

1803, March 19. First performance of *Die Braut von Messina* at Weimar. Mme de Staël visits Weimar.

1804, March 17. First performance of *Wilhelm Tell* at Weimar.
   Visit to Berlin.
   July 25. Birth of Schiller's second daughter (Emilie Hen-
   riette Luise).
1805. Adaptation of Racine's *Phèdre* for the German stage.
   May 9. Schiller's death.
   May 12. Interment.
   Schiller's last play, *Demetrius*, remains a fragment.

Introduction

... such things will pluck
Hard at men's hearts that think on them, and move
Compassion that such long strange years should find
So strange an end: nor shall men ever say
But she was born right royal; full of sins,
It may be, and by circumstance or choice
Dyed and defaced with bloody stains and black,
Unmerciful, unfaithful, but of heart
So fiery high, so swift of spirit and clear,

.   .   .   .

She shall be a world's wonder to all time,
A deadly glory watched of marvelling men
Not without praise, not without noble tears,
And if without what she would never have
Who had it never, pity — yet from none
Quite without reverence and some kind of love ...

Such is the epitaph on Mary, Queen of Scots, which Swinburne, towards the end of his trilogy on the life of Mary Stuart,
puts into the mouth of Drury, one of the royal prisoner's keepers
at Fotheringay. Is it to be wondered at that many playwrights —
some of them famous, most of them obscure — should have felt
moved to dramatize the events which culminated in Mary's
execution on 8 February 1587? Few episodes in history contain
more of the very stuff of drama. A turbulent scene of political
and religious strife; the fate of nations in the balance; ambitious
men gambling for power, fanatics staking their lives on their
faith; a story of intrigue, reckless passion, and murder; and in
the centre of it all the enigmatic character of the heroine, one of
the most fascinating figures in European history, alluring, proud,
impulsive, elusive — the Daughter of Debate. What more could
a dramatist ask?

Some dramatists, in point of fact, would have managed better
with less; a great subject calls for a dramatist of genius, and the
very richness of the theme proved an embarrassment to lesser

practitioners. In Spenser's *Faerie Queene* (Book V, Canto 9, 40) Mary Stuart is represented — in the person of Duessa — as a wicked temptress who lures men to their doom:

> That false *Duessa*, which had wrought great care,
> And mickle mischiefe vnto many a knight,
> By her beguyled, and confounded quight.

The fatal spell which Mary cast upon many men during her lifetime continued to work after her death, with similarly disastrous effect, among those who tried their hand at dramatizing her story. In a book which deals with the dramatic treatment of the subject in the seventeenth, eighteenth and nineteenth centuries (*Maria Stuart im Drama der Weltliteratur*, Leipzig, 1907), Karl Kipka lists well over a hundred plays. Some of them are by authors of note: Joost van Vondel, Vittorio Alfieri, Julius Słowacki, Marie von Ebner-Eschenbach, Björnstjerne Björnson, and Algernon Swinburne figure in the list. None of these plays, however, can be said to have established itself firmly on the stage and to have won a place in the front rank of European drama: none, that is, except Schiller's. Alone among the scores of contenders he emerged undefeated from the encounter with the Scottish sphinx.

II. THE GENESIS OF *Maria Stuart*

Schiller was at the height of his powers when he wrote *Maria Stuart*. It was a case of a mature writer returning, at the age of forty, to a project with which he had toyed as a young man. In December 1782, when Schiller, then aged twenty-three, was staying incognito at Frau von Wolzogen's country house at Bauerbach, where he had found a temporary refuge after his flight from Stuttgart,[1] he borrowed a copy of Dr. William Robertson's *History of Scotland* from the library in the near-by town of Meiningen. About three months later we find the idea of a play on the subject of Mary, Queen of Scots, cropping up in several of his letters. Nothing came of it at the time. The years that followed were mainly devoted to the completion of *Don Carlos*, a long and complex work which marks the transition from the naturalist style of Schiller's earlier prose plays to his own form of poetic drama, and which was slow to take shape: it was

[1] For the main events and dates of Schiller's life see the chronological table, pp. ix ff.

not until 1787, after four and a half years of intermittent effort, that the play could at last be offered to the public in book form. But if for the time being Schiller's interest shifted from Scotland to Spain, it remained centred in the same period. The Spanish Infante (1545–1568) and the Queen of Scots (1542–1587) were contemporaries; the author of *Maria Stuart* was to profit from the historical studies which preceded and accompanied the writing of *Don Carlos*.

For some time these historical studies, first undertaken as a means to an end, became an end in themselves. 'My affection for history grows day by day. . . . I wish I had studied nothing but history for ten years running', Schiller confessed in a letter to his friend Christian Gottfried Körner (15 April 1786); and presently his background reading for *Don Carlos* (which included such works as William Robertson's *History of Charles V* and Robert Watson's *History of the Reign of Philip II*) produced an offshoot in the shape of his *History of the Revolt of the Netherlands* (1788). Though he found this essay in history far less exacting a task than his play had been, it was more favourably received by the public. In one of his letters to Körner (7 January 1788) he comments wryly on the disproportion between effort and popular success: 'My reward for *Don Carlos* — the work of three laborious years — was displeasure. My Dutch History, the work of five or at most six months, may well establish my reputation.' Christoph Martin Wieland, one of the most influential critics of the time, encouraged him in the belief that the writing of history was his true vocation. When Schiller read him some passages from his *Revolt of the Netherlands*, Wieland was enthusiastic. 'He was quite carried away by the thing' (Schiller reports in a letter to F. Huber, 26 October 1787) 'and he maintains that I am a born historian. He declared that I should have no superior in the field of history.' Schiller rightly felt that he had the gift of combining the requisite amount of scholarship with a lucid, vigorous, and attractive prose style, and he saw himself developing into a writer 'more like Montesquieu than Sophocles'. (Letter to Körner, 12 February 1788.) Körner was opposed to these plans; he wanted his friend to concentrate his energies on his work as a poet and dramatist, and feared that he might be side-tracked by the pursuit of history. But his protests were of no avail. When, through Goethe's good offices, Schiller was offered a professorship of history in the University of Jena — his *History of the*

Revolt of the Netherlands having furnished him with the necessary credentials for such a post — he accepted, even though the appointment was far from being a lucrative one; and for some years the study, the teaching, and the writing of history became his main professional occupations.

Schiller's place as a historian is with the pioneers of modern German historiography: it would be unfair to compare him with such masters of a later age as B. G. Niebuhr or Leopold von Ranke. Even so, his work should not be underrated. He brought an artist's gifts to the writing of history; whether he writes on Europe at the time of the crusades or on the civil wars in sixteenth-century France, the imprint of his strong individuality imparts unity and coherence to his narrative. What he gave his readers was something they had rarely been offered before: history seen through the medium of a temperament — oversimplified at times, no doubt, and not always based on primary sources, but always eminently readable and memorable. Schiller was no specialist; the title of his inaugural lecture — 'What is universal history, and to what end does one study it?' — shows clearly enough that he proposed to take all history for his province. At the same time, there is one great theme which obviously engaged his special interest, both in his own studies and in his work as an editor of historical memoirs: the theme of religious conflict and its political consequences in the sixteenth and seventeenth centuries. It is a fair assumption that he must have given some thought to the fate of Mary Stuart in that general context; and the assumption is confirmed by a passage in a letter to his future wife, Charlotte von Lengefeld, written in March 1788. In this letter, which accompanied a copy of Robertson's *History of Scotland*, Schiller refers to Mary, Queen of Scots, adding the injunction: 'Let your heart be touched by the suffering of the poor Queen.'

Schiller had come to history by way of the drama. Although he had felt disgruntled at the lukewarm reception accorded to *Don Carlos*, there was no reason to think that his dramatic vein had run dry, and it was to be expected that sooner or later the creative urge would revive and turn his thoughts back to the theatre. In biographical retrospect, the decade which he devoted to the study of history and Kantian philosophy appears as a period of painstaking preparation for renewed and greater efforts in his old *métier* — a case of 'reculer pour mieux sauter'. His second and last major historical work, the *History of the Thirty Years War*, provided the starting-point for his return to the drama. The process was slow and troublesome; the subject he had chosen — Wallenstein's bid for supreme power and his fall — proved refractory material. But when, after many set-backs and delays, the new play — a work of vast proportions, over 7,600 lines in length — was at last finished, it showed Schiller as a dramatist of greatly increased stature. In grandeur of conception, in subtlety and variety of characterization, and in the profundity of its ideas, *Wallenstein* is Schiller's greatest achievement, though in regard to mastery of dramatic form, elegance of design and structural harmony, *Maria Stuart* must be conceded pride of place. After the completion of *Wallenstein* in 1799, the tempo of Schiller's dramatic production suddenly quickened: from now on until the end of his short life, a magnificent series of major plays (to say nothing of translations and adaptations) followed each other at the remarkable rate of one a year. Such a sustained creative effort would have taxed the strongest of men; Schiller maintained it, with superb courage, in spite of the ever more menacing symptoms of serious illness. Its first result was *Maria Stuart*.

While Schiller was writing *Wallenstein*, he often felt weighed down by the heavy demands which the work made upon him, and some of his letters show him chafing under a sense of bondage. 'How I shall thank Heaven', he exclaims, 'when this *Wallenstein* is off my hands and gone from my desk!' (Letter to Körner, 24 January 1798.) When the long task was finally accomplished, however, he experienced the kind of reaction which often comes, perversely, at moments of fulfilment: far from feeling relaxed and happy, he felt flat and ill at ease. 'I am worse off in my present state of freedom', he writes to Goethe (19 March 1799), 'than I was previously in my slavery. The massive weight which had hitherto attracted me and held me fast is now suddenly gone, and I feel as if I were suspended, indeterminate, in empty space. . . . I shall not be at peace until my thoughts are once again directed, in hope and affection, towards a definite subject.' He did not have long to wait for a new orientation of his creative energy. On 26 April 1799, he reports to Goethe that he is busy reading a history of the reign of Queen Elizabeth and studying the trial of Mary Stuart. 'One or two central tragic motifs suggested themselves at once and have inspired me with great faith in this subject, which unquestionably has many rewarding features.' Before another two months had passed, he had worked out the plan of his play and started writing. His confidence in his subject grew as the work proceeded. 'I am becoming increasingly convinced of the genuinely tragic quality of my subject; one special characteristic of it is that one sees the catastrophe from the very first scenes and that one is led ever more closely towards it while the action of the play seems to be moving away from it.' (Letter to Goethe, 18 June 1799.) The first act, in which the audience had to be familiarized with the complicated historical background, proved a difficult hurdle. Once the poet had won this 'struggle with the historical material', progress was more rapid; by the beginning of September 1799, he had finished the second act and started on Act III. At this point, however, his work was interrupted by domestic calamities. In October his wife became critically ill after the birth of their third child, Karoline; a severe attack of brain fever seemed to threaten her sanity. Weeks of constant anxiety put a heavy strain on Schiller's frail health, and the removal of his household from Jena to Weimar in December did nothing to improve matters. Being in no fit state to continue his creative work, he decided that a change of occupation was indicated. He embarked upon a German version of *Macbeth*, in the hope of being able to complete this interim assignment in about a fortnight's time. Although in fact it took much longer, the time was well spent; the result of his labours, though distinctly un-Shakespearean, remains an actable and effective adaptation. No sooner was this interlude finished than Schiller himself fell gravely ill, and a depressingly slow convalescence brought this winter of his discontent to a close.

In these circumstances, the completion of *Maria Stuart* during the spring months of 1800 was no mean achievement. Schiller himself supervised the rehearsals on the Weimar stage. The first performance took place on 14 June 1800; it was a resounding success. In a letter to Körner written two days later, Schiller observed with modest pride: 'At last I am beginning to master the dramatic medium and to know my job.'

III. THE HISTORICAL RECORD

The history of Mary Stuart's brief Scottish reign and of her long captivity in England is notoriously controversial. If it is the historian's business (in Ranke's famous phrase) to say how things really happened — 'wie es eigentlich gewesen' — then the historian cannot content himself with being a mere annalist, a chronicler of facts and dates: he has to interpret the facts, evaluate the sources, analyse human relationships, explore characters and appraise motives, while all the time remaining conscious of the vagaries of human behaviour and of the imponderable in human affairs. In the case of Mary, Queen of Scots, pro-Marians and anti-Marians have placed widely divergent interpretations upon the recorded facts. A distinguished modern historian has remarked that 'there are questions on which historians will probably be divided to the end of time, for the simple reason that their points of view differ so greatly that the gulf between them is unbridgeable. Of such a nature is the question of Mary Stuart's responsibility for the fate that eventually overtook her'.[1]

Although as a dramatist Schiller reserved the right to treat the data of history with the freedom of the artist, he was at pains to ascertain the recorded facts first. Before considering the interpretation which he puts forward in his play, it may be well to recapitulate briefly the historical record on which his interpretation is based.

Mary Stuart, the daughter of James V of Scotland and his French consort, Mary of Guise, was born at Linlithgow on 8 December 1542. On her father's side she was descended from Henry VII, the founder of the Tudor dynasty in England, whose daughter Margaret had married James IV of Scotland. In the eyes of the Catholic world, which did not acknowledge the legitimacy of Elizabeth, this line of descent established Mary Stuart's claim to the throne of England after the death of Mary Tudor (November 1558).

James V was lying on his deathbed at Falkland Palace when he received the news of his daughter's birth; an infant queen succeeded to the crown of Scotland. Her great-uncle, Henry VIII, wanted to see her betrothed to his own son and heir, Prince Edward. The negotiations, however, broke down, and nothing came of a project of marriage which would have united the two realms. Instead, the 'petite reine d'Écosse' was sent to her mother's native country at the age of six, to be brought up, under the eye of her grandmother, the dowager Duchess of

[1] John B. Black, *The Reign of Elizabeth*, 2nd ed., Oxford, 1959, p. viii.

Guise, at a court renowned for its gaiety and sophistication; and the Queen Regent, Mary of Guise, eventually secured the consent of the Scottish Parliament to the marriage of her daughter with Francis, the Dauphin of France. The union of the young couple was duly solemnized in 1558, when the bride was in her sixteenth year. In 1559 Henry II of Valois was killed in a tournament, and Francis and Mary became King and Queen of France.

Their reign was very brief. The health of Francis II had always been frail; the boy King died before reaching manhood, on 5 December 1560. His brother (who succeeded him as Charles IX) being a minor, the reins of government passed into the hands of the Queen Mother, Catherine dei Medici — 'Madame la Serpente', as her youngest son called her. The death of her husband left Mary Stuart in the unenviable position of a young dowager, without power or influence, an unwanted stranger at the court now presided over by her formidable mother-in-law.

In June of the same year Mary's mother, the Regent of Scotland, had died at Leith, at the age of forty-four. Since there was no future for her on French soil, the young widow decided to enter upon her Scottish heritage, even though this meant exchanging the sunshine and the *dolce vita* of France for the grey skies and the harsher ways of her northern kingdom. Her cousin Elizabeth having refused to grant her a safe conduct for a journey through England, she went by sea, arriving at Leith on 19 August 1561. It was raining when the Queen and her French retinue disembarked from their galley, and a characteristic east-coast 'haar' blurred all outlines in its gloomy twilight. Depressing weather, even for those who were accustomed to the vagaries of a Scottish summer; and some of Mary's Scottish subjects insisted on regarding it as an ominous portent. In his *Historie of the Reformatioun of Religioun within the Realm of Scotland*, John Knox observed that 'The verie Face of the Heavin, the Tyme of hir Arryvall, did manifestly speik quhat Comfort was brocht unto this Countrey with her, to wit, Sorow, Darknes, Dolor, and all Impiety. . . . The Sone was not sene to schyne two Dayes befoir, nor two Dayes efter. That Fore-wairning gave God unto us; bot alace the most Pairt wer blynd.'

The thirteen years of Mary's sojourn in France witnessed a crucial phase in the history of Scotland. She had left a Catholic country in 1548; she returned in 1561 to a country whose Parliament had repudiated the supremacy of the Pope and forbidden the celebration of mass. Her mother had done her best during her regency to contain the Calvinist revolution, first by negotiation and compromise, and latterly by repression; but neither concessions nor attempts at intimidation could stem the rising tide of Protestantism. The young Queen had declared, in the plainest terms, that she had no intention of abjuring her Catholic faith. Would she command the loyalty of her Protestant subjects? She was returning to her native land virtually a foreigner, French in language, upbringing, tastes and sympathies — at a moment when the Treaty of Edinburgh (signed in July 1560) had just put an end to the Auld Alliance between Scotland and France and asserted Scotland's independence. Would the new sovereign seek to revive her mother's conception of Scotland as a French protectorate? Then there was the question of her title to the English succession. After the death of Mary Tudor, Mary Stuart had openly asserted her claim by quartering her arms with the three lions of England. The Treaty of Edinburgh laid it down 'that the Most Christian King and Queen Mary and both of them shall at all times coming abstain from using the said arms and title of the kingdoms of England and Ireland', thus acknowledging Elizabeth as the rightful Queen of England; but Mary and her husband Francis had never ratified the Treaty. Would she now abide by its terms?

Considering the perils with which her situation was fraught, things went remarkably well during the first years of Mary's reign. Her conciliatory attitude in matters of religion reassured those who had feared for the safety of the reformed faith; while demanding, for herself and her household, the right to worship according to the Roman rite, she declared that she had no intention of interfering with the religious practice of her Protestant subjects. Nor was there any sign of her trying to make Scotland submit again to the tutelage of France. As for the thorny problem of the English succession, it remained unresolved. Mary tried to persuade Elizabeth to recognize her formally as her only legitimate successor, heiress presumptive to the English crown; but Elizabeth refused, being only too well aware that 'more people worship the rising than the setting sun'. But if no agreement was reached, at least courteous diplomatic relations were maintained; the two Queens exchanged professions of amity and expressed their desire for a personal interview — a plan that was mooted repeatedly between 1562 and 1564. While this policy of moderation disarmed her critics, Mary's captivating personality won her the allegiance of many hearts; few remained as impervious to her charm as John Knox, who saw in the lovely young Queen nothing but 'a proud Mynd, a crafty Witt, and ane indurat Hairt against God and his Treuth'.

The fatal turning-point in Mary's career came when she married her second husband, Henry Stuart, Lord Darnley (29 July 1565). Within two years of that ill-starred match, the fund of goodwill which she had accumulated during the first years of her reign was utterly squandered, and the Queen was left without a friend in her realm. It is true that Darnley was of royal descent (like Mary, he was a great-grandchild of Henry VII, his mother, the Countess of Lennox, being the daughter of Margaret Tudor by her second husband, the Earl of Angus), and in that sense a better choice than Robert Dudley, the Earl of Leicester, whom Elizabeth had suggested to Mary as a suitable consort. In all other respects, however, this hasty marriage proved a disastrous mistake. From a political point of view, it alienated the Scottish Protestants, Darnley being a Catholic; it antagonized the Scottish nobles, who regarded Darnley as a threat to their power and their influence with the Queen; and it offended Elizabeth, whose attempts at intervention had been ignored. Bad as all this was, it was not the worst. Mary rode out the political storm that followed her wedding; the rebellion of the nobles, led by the Earl of Murray, was quelled, and Elizabeth in the end had to accept the *fait accompli*. What was far more sinister was the rapid and irreparable breakdown of the royal marriage. Very soon Mary discovered that the handsome youth who had taken her fancy was a despicable creature, as vicious in his habits as he was arrogant in manner and violent in temper. Though obviously unfit to rule, Darnley was not satisfied with the mere courtesy title of 'King Henry', and his sense of frustration finally vented itself in an appallingly brutal murder. His victim was David Rizzio, an Italian musician of humble origin who had come to Scotland in 1561, had gained the Queen's favour by his pleasant manner and ready wit, and had been appointed to the post of her French secretary. The foreign upstart's rise to a position of power was widely resented; what is more, court gossip alleged that the relation between the Queen and her protégé was one of clandestine intimacy. On the evening of 9 March 1566 a band of conspirators, led by Darnley, made their way into Mary's private apartments, dragged the Italian from his seat by the side of the Queen (who was at that time six months gone with child) and stabbed him to death.

The murder of Rizzio was an attempt at a *coup d'état* as well as an act of private revenge. Mary handled the crisis with great courage and skill. She contrived a rapid reconciliation with Darnley, thus detaching him from his fellow-assassins. She then made her peace with the exiled Earl of Murray and his followers, on whose support Darnley had counted. 'King Henry' was completely isolated, hated by the accomplices whom he had betrayed, and less of a king than ever. Mary was once again in control, and her position was further strengthened when, on 19 June 1566, she gave birth to a son and heir—the baby Prince who was destined to unite the crowns of Scotland and England in 1603.

On Mary's part, her speedy reconciliation with Darnley had been mere pretence; as soon as it had served its immediate political purpose, she made no secret of the contempt and loathing she felt for her husband, or of her desire to be rid of him. In that desire she was not alone: nor did she have to look far for someone who was prepared to take action. The Queen had become passionately devoted to a new favourite — James Hepburn, Earl of Bothwell, an adventurous nobleman from the Borders, not overburdened with principles or scruples, who had stood by her during the Rizzio affair. If the tie of Mary's intolerable marriage could not be loosened in any other way, Bothwell was ready to cut it. The precise details of the events that followed, and of Mary's complicity in them, remain shrouded in the mists of historical conjecture. The known facts can be briefly stated. In January 1567, Mary visited Darnley in Glasgow where he was lying ill. (The nature of his trouble is obscure. Some say that it was smallpox; some contemporary chroniclers suggest that he had been poisoned; and some historians conjecture that he was suffering from virulent venereal disease.[1]) He returned to Edinburgh with her; his disease being infectious, he was lodged in a lonely house at Kirk o' Field, just outside the city walls, where she visited him frequently. On 9 February — a Sunday — she spent part of the evening with him, and then left in order to attend a wedding party at Holyrood. In the small hours of the

[1] Cf. David Hay Fleming, *Mary Queen of Scots*, 2nd ed., London, 1898, pp. 430 f.

morning, the house at Kirk o' Field was blown up; Darnley's strangled body was found in a near-by garden.

Rumour soon named Bothwell as the instigator of the crime; a charge of murder was brought against him by Darnley's father, the Earl of Lennox. The presence of an armed force of Bothwell's followers rendered the result of the ensuing trial a foregone conclusion: in the absence of the accuser, judgment went by default. On 24 April, Bothwell waylaid the Queen on the road from Stirling to Edinburgh and carried her off to his stronghold, Dunbar Castle. She remained there, wholly in his power, for twelve days. They then returned to Edinburgh together, where Mary created her captor Duke of Orkney. In the meantime, proceedings had been hastily instituted to dissolve Bothwell's marriage. A decree of divorce having been granted to Lady Bothwell, the Queen and the new Duke of Orkney were married, with Protestant rites, on 15 May.

This sequence of events was felt to be a national disgrace by Protestants and Catholics alike. The country rose in revolt. Such forces as the Queen and her new consort could muster collapsed at Carberry Hill (15 June). Bothwell escaped to Norway. Mary was taken back to Edinburgh, where she was greeted by the insults and curses of an angry crowd, and thence to Lochleven Castle. Here she was forced to abdicate in favour of her infant son (who was duly crowned as James VI) and to agree to the appointment of the Earl of Murray as Regent.

Mary could hardly be expected to hold herself bound by an agreement which had been wrested from her under duress; and although the Darnley murder and its astonishing sequel had lost her the sympathy of the nation as a whole, there were still groups of influential men — such as the Hamiltons — who believed that they might profit from the Queen's restoration. Aided and abetted by such adherents, Mary succeeded in escaping from her island prison on 2 May 1568. There followed a few brief days of precarious freedom. If her supporters had hoped to reinstate her by force of arms, their hopes were soon shattered; on 13 May, they were routed by the Regent's troops at Langside. Mary's last desperate gamble for power had failed, and there was now no safety in Scotland for the dethroned Queen of Scots. Three days after the defeat of her forces at Langside, she crossed the Solway Firth, an exiled monarch, asking for political asylum in her cousin's kingdom.

She soon discovered that in going to England she had merely exchanged one kind of captivity for another. Whatever Elizabeth may have felt in her heart when contemplating Mary's sad plight — and there is no reason to think that she was wholly devoid of sympathy — the arrival of the royal fugitive from across the Border created a political problem of the first order; a problem which called for the exercise, not of impulsive generosity, but of diplomatic caution. Elizabeth hated rebellion; she was outraged by the idea of subjects sitting in judgment on their own lawful sovereign, and she made no secret of her sentiments in the messages she sent to the Scottish lords during Mary's imprisonment at Lochleven Castle. To hand Mary over to the Scottish rebels was out of the question. On the other hand, to receive her — as Mary had no doubt hoped to be received — as an honoured guest, to admit her cousin to her presence and to her court, might have seemed tantamount to condoning her conduct and espousing her cause, and was therefore inexpedient: neither Elizabeth herself nor her people wanted to go to war for the restitution of the Queen of Scots. Nor could she be allowed to make her way to France, where she might be used as a means of reimposing French hegemony and Catholic rule upon her northern kingdom. The only safe course, it seemed, was to detain Mary in England. In Archbishop Parker's striking phrase, Elizabeth had 'the wolf by the ears': to let go would have been fatal.

Accordingly Mary was transferred from Carlisle Castle, where she had lodged after her flight from Scotland, to a place further removed from the Scottish border. Bolton Castle in Wensleydale was assigned to her as her temporary residence; Sir Francis Knollys, Elizabeth's cousin, acted as her custodian. At the same time, pressure was brought to bear on her to make her agree to a judicial inquiry (with Elizabeth in the role of arbiter), designed to clarify the issue between the exiled Queen of Scots and the rebel government of Scotland, headed by the Earl of Murray as Regent. Mary consented very reluctantly, and with reservations, pleading her status as a sovereign Queen answerable only to God, who could not appear as a party in legal proceedings, least of all on a footing of equality with her own rebellious subjects. Having begun at York in October 1568, the 'conference' was subsequently moved to Westminster. It was here, on 6 December, that Murray finally produced his evidence of Mary's complicity in the murder of Darnley: letters alleged to have been written by Mary to Bothwell and to have been taken, in their silver casket, from one of Bothwell's servants on 20 June 1567, a few days after the defeat of Mary's and Bothwell's supporters at Carberry Hill. Mary promptly declared the Casket Letters to be a forgery and withdrew her commissioners from the conference, having been refused permission to appear and defend herself in person. The inquiry thereupon ground to a standstill. An interim pronouncement, made by Elizabeth on 10 January 1569, left the matter in abeyance. Nothing, she said, had so far been proved against Murray and his adherents to impair their honour; on the other hand, no sufficient evidence had as yet been produced for Elizabeth to 'conceive or take any evil opinion of the Queen, her good sister'.

The inquiry had settled nothing. Mary was kept in custody, in a manner befitting her royal status, the cost of her household being borne partly by the English treasury and partly by Mary herself, out of the very substantial income which she derived from her dowry as Queen-dowager of France. During the nineteen years of her detention in England, she resided at a number of places: at Tutbury Castle in Staffordshire, at Coventry, at Sheffield Castle (where she stayed longest — from 1569 to 1585 — and where the Earl of Shrewsbury acted as her keeper), at Tutbury again (where surveillance became much more stringent under her new custodian, Amyas Paulet), at Chartley in Derbyshire, and finally at Fotheringay Castle in Northamptonshire. Although the intention was to cut Mary off from any active participation in politics, in practice this proved impossible. Except during the last phase of her imprisonment, when very elaborate precautions were taken to isolate her (and when such secret correspondence as she conducted was tapped by Elizabeth's Principal Secretary, Sir Francis Walsingham, to be used in evidence against her at her trial), she had no difficulty in communicating with the outside world — with France, with Philip of Spain and his ambassador at the English court, and with her friends among the Catholic nobility in the north of England. In spite of the restrictions placed upon her movements, the captive Queen of Scots remained a centre of political disturbance and a focus of Catholic disaffection in Elizabeth's realm.

The first move of the Catholic malcontents took the form of a cabal which aimed at marrying Mary to the Duke of Norfolk, the ultimate objectives being her restoration to her throne, her recognition as Elizabeth's successor, the dismissal of William Cecil and his Protestant party from their position of power, and possibly the restoration of Catholicism in England. The scheme (in which the Earl of Leicester was implicated) was discovered by Elizabeth; and when the Duke, after some hesitation, obeyed the Queen's summons to present himself at her court he was imprisoned in the Tower, where he remained from October 1569 until his conditional release in August 1570. The failure of the cabal was followed by an armed rising in the north, led by the Earls of Northumberland and Westmorland. The rebels had the satisfaction of hearing mass said once again at the altar of Durham Cathedral; but after the elation of some initial successes, the movement lost its momentum. Within little more than a month the Northern rebellion had collapsed. Its leaders fled across the Border; severe reprisals were taken against their followers.

As the price of his release from the Tower, the Duke of Norfolk had solemnly promised to desist from any political action relating to the future of Mary Stuart. Despite these assurances, he allowed himself to be drawn into a plot, devised, with Mary's knowledge and co-operation, by a certain Ridolfi, an Italian banker in London, who was acting as a political agent for Pope Pius V. The essence of the Ridolfi plot was that a renewed Catholic revolt, to be led by the Duke of Norfolk, should be supported by a Spanish force under the command of the Duke of Alva, which was to invade England from the Netherlands. The plot was uncovered by the watchfulness of Cecil (now Lord Burghley); in January 1572, the Duke of Norfolk was brought to trial before his peers on a charge of treason, and sentenced to death. For some time Elizabeth deferred sanctioning the execution of the sentence; but the new Parliament which met in May 1572 clamoured for the blood of the traitors who had been scheming against the safety of the state and of their Queen. The Lords and the Convocation of Bishops joined the Commons in demanding the heads of the Duke and of his fellow-conspirator, the Queen of Scots. Elizabeth refused to have Mary attainted and put to death. Mary's unfortunate associate, however, paid with his life for the privilege of having championed her cause: on 2 June 1572, the premier nobleman of England was beheaded on Tower Hill.

The Ridolfi plot set the pattern which subsequent events were to follow. In the eyes of the Catholic world, Mary was a noble martyr for her faith whose suffering had long since atoned for the sins and follies of earlier years: a royal Queen of unspotted lineage, a rightful claimant to the throne of England, held captive by a jealous rival of heretical views and questionable birth. As an object of Catholic devotion and an embodiment of Catholic hopes, she remained a force to be reckoned with, both in the grand strategic design of the Catholic powers of Europe — 'the Enterprise of England', as it came to be known — and in the simpler minds of those fanatics who believed that the quickest short-cut to the realization of their dreams was the assassination of Elizabeth. To Elizabeth's loyal subjects she appeared, by the same token, as a permanent threat to the peace and security of the realm, 'the bosom serpent' (in Walsingham's phrase) who would sting while there was life in her. Although she was subjected to stricter restraint after the Ridolfi plot, Mary continued to correspond with her sympathizers in England and abroad, pinning her hopes, now on the success of 'the Enterprise' and an invasion of England, now on a favourable turn of events in Scotland. Some of this secret correspondence was intercepted by the English intelligence service; and in 1583 Walsingham brought off a major *coup* by identifying and eventually arresting one of Mary's principal agents, Francis Throckmorton, whose confession (forced from him on the rack) revealed the extent of Mary's intrigues. Further information about 'the Enterprise' came to light in the following year when another agent, a Jesuit named Creighton, was arrested by the Dutch authorities on board a ship bound for Scotland, and handed over to the English government.

Shortly before the climax of the Throckmorton affair, a certain John Somerville, a young Catholic from Warwickshire, had sworn to 'shoot the Queen with his dag'; having given himself away by talking too freely about his intention, he had been apprehended and executed. Public feeling against Mary and her Catholic adherents ran high; it rose even higher when William of Orange (who had miraculously survived a previous attempt on his life in 1582) was assassinated on 30 June 1584. The murder of heretic rulers had papal sanction — and Elizabeth had been declared a heretic and a usurper in the bull of excommunication published by Pius V as long ago as 1570. More fuel was added to the flames of the nation's anger when, early in 1585, Dr. Parry, a member of the House of Commons, was found guilty of having plotted to kill the Queen, and sent to the scaffold. The safety of the Queen became the main concern of Parliament. The Catholic mission, which had been sending many of its seminarists from Douai to work for the revival of the old faith in England, was banned; and a bill was passed (incorporating, in a modified form, the so-called 'Bond of Association' drawn up by Elizabeth's council earlier on and signed by thousands of citizens) which was plainly designed to deal with the threat to Elizabeth's safety arising from Mary's claim to the succession. In the event of an attempt being made on the Queen's life with the intention of raising some other person to the throne, that other person being privy to the attempt, the new law laid it down that the claimant in question — unnamed in the enactment, but clearly identifiable — was to be excluded from the succession and liable to the death penalty, always providing that his (or rather, her) guilt had been duly established in the course of a proper trial.

It was not long before the cap was made to fit. A certain Gilbert Gifford, who was returning to England from abroad with instructions to establish contact with Mary, now under close guard at Chartley, was arrested on landing and induced to act as Walsingham's confidence man. Ostensibly operating on Mary's behalf, Gifford helped to arrange a system of 'secret' communication between Mary and the outside world. Chartley Manor received regular deliveries of beer from a brewer of Burton, and these were used as a means of conveyance. Incoming letters were put in a waterproof bag and pushed through the bung-hole of a full cask; outgoing letters travelled in the empties which were going back to the brewery. In this way the whole of Mary's correspondence passed through Walsingham's hands, to be deciphered and copied by his confidential secretary Thomas Phelippes; and very soon it yielded the kind of evidence he was looking for. A new plot was being hatched: a group of young men were planning to murder Elizabeth and to set Mary free, with the aid of an invading force from abroad. One of the leaders, Anthony Babington, a young gentleman from Derbyshire who had been a page in the Earl of Shrewsbury's household at the time of Mary's residence at Sheffield Castle, wrote to Mary through the 'secret' post, giving her a detailed description of the conspirators' plans. On 17 July 1586, Mary signified her approval in a long letter. This important document, having been duly studied by Walsingham and copied by his secretary, was forwarded to Babington with a forged postscript which asked for the names of his fellow-conspirators. On the copy which he had written out for his employer, Phelippes sketched the sign of the gallows.

The forged postscript was the touch of a perfectionist who wanted to see his dossier complete in every detail. In the long run, however, it did more harm than good to the case against Mary which Walsingham was at pains to build up, for in the view of some historians it tends to cast doubt upon the rest of the evidence. Nor did it serve the immediate purpose for which it was inserted; sensing danger in delay, Walsingham decided to move in for the kill without waiting for Babington's reply. Babington and his companions were apprehended and imprisoned in the Tower, where confessions were obtained from them. At the same time Mary's two private secretaries were arrested and her papers impounded. On 20 September, Babington and six of his fellow-conspirators were executed with all the brutality which was customary in cases of treason.

Mary herself was arraigned before a commission of thirty-six judges, to be tried under the new Act for the Queen's Surety. She conducted her own defence with great ability and spirit, insisting on her privileged status as an anointed Queen which, as she claimed, placed her beyond the jurisdiction of any court of law, however constituted. This fundamental objection having been overruled, she pleaded not guilty to the charges brought against her, denying the authenticity of her letter to Babington and disclaiming all knowledge of the plot. The evidence produced by the prosecution was, however, held to be conclusive — a view, it may be added, with which most historians are disposed to agree. After prolonged deliberations, the commissioners unanimously found her guilty, and their verdict was endorsed, with equal unanimity, by both Houses of Parliament. On 12 November 1586, the Lords and the Commons jointly petitioned the Queen for the speedy execution of the death sentence; but it was not until 1 February 1587 that Elizabeth, after much casting about for 'some other way', reluctantly signed the warrant which sealed the fate of her kinswoman. On 8 February 1587, the life of Mary, Queen of Scots, ended under the executioner's axe. She met her death with royal dignity and superb fortitude.

IV. *Maria Stuart* — A TRAVESTY OF HISTORY?

Can it be said that Schiller's play presents a truthful picture of the historical situation with which it deals? Some readers, no doubt, would unhesitatingly answer 'No', and dismiss Schiller's drama as a travesty of history. Is it not enough (they would ask) to point to the obvious liberties Schiller takes with established fact and chronology — inventing a meeting of the two Queens which in fact never took place, shortening the period of Mary's captivity by considerably more than half, and representing Mary and Elizabeth as women of twenty-five and thirty respectively,[1] whereas at the time of Mary's death in 1587 their historical prototypes were forty-four and fifty-three?

There is, of course, an easy answer to these objections. A dramatist, it may be argued, is not a chronicler, and any attempt to judge his work in terms of factual accuracy is beside the point. A play is a work of the imagination, not a work of historical research; an author may choose an historical setting and historical characters simply because they provide him with convenient material to work on, but there is no reason why he should allow an historian's scruples to cramp his style. This is the line of argument which Schiller himself adopted when he touched upon the question — in his dedication of *Fiesco* to J. F. Abel, in the *Erinnerung an das Publikum*, and again, a few years later, in a letter to Caroline von Beulwitz,[2] where he contrasts 'the inner truth, which I will call the philosophical truth and the truth of art' with the exactitude of the annalist, and where he defines his own practice as follows: 'History, indeed, is only a storehouse for my imagination, and its subjects must put up with what they become in my hands.' In claiming such latitude for the playwright, Schiller takes his cue from Lessing, to whom he explicitly refers in the dedicatory Preface to *Fiesco*. In Section 19 of his *Hamburgische Dramaturgie*, Lessing had paraphrased and developed the passage in the *Poetics* which leads Aristotle to the conclusion that poetry is 'more philosophical' than history — 'for poetry is chiefly conversant about general truth, history about particular. In what manner, for example, any person of a certain character would speak or act, probably or necessarily — this is general; and this is the object of poetry, even while it

---

[1] Letter to Iffland, 22 June 1800.   [2] 10 December 1788.

makes use of particular names'.[1] Dotting the i's and crossing the t's of Aristotle's terse statement, Lessing explains that the tragic poet is concerned with historical truth only in so far as it resembles a well-constructed plot which he can use for his own purpose. 'He makes use of a story, not because it has in fact happened, but because it happened in such a way that for his present purpose he could hardly invent anything better.' In Section 23 of the *Dramaturgie* (in which he discusses an earlier play on an Elizabethan theme, Thomas Corneille's *Le Comte d'Essex*), Lessing goes on to say that if a dramatist's choice of an historical subject is determined by the characters of the protagonists, 'then the question of how far the poet may deviate from historical truth is readily settled: as far as he likes in whatever does not concern the characters. The characters alone he holds sacred.' He may, Lessing adds, illuminate them and throw them into relief, but he must not change them in any material particular.

Do these familiar arguments settle the question of historical truth in Schiller's *Maria Stuart*? Or do they perhaps provide too easy a solution when one is dealing with a dramatist who was at the same time a historian of some note? If one says that the poet chooses a certain historical situation and certain historical characters because they supply him with suitable material, the question still remains — how does he recognize them as being 'suitable'? How does he come to fasten upon the particular situation and the particular characters in question? In saying that they suit his purpose, one implies that he sees them not as mere discrete data but as a coherent, and therefore intelligible, complex of forces, motives, and actions. No matter how emphatically he may disclaim all pretensions to historical exactness, his choice of an historical subject necessarily involves an act of historical interpretation: it is in virtue of such interpretation that he judges the subject to be suitable for his dramatic purpose. Wilhelm Dilthey and R. G. Collingwood have argued that historical understanding is a reliving of the past, 'the re-enactment of past thought in the historian's own mind' and the 're-enactment of past experience',[2] and they have stressed the affinity

[1] Thomas Twining's translation, reprinted in Everyman's Library, No. 901, London, 1934, p. 20.

[2] R. G. Collingwood, *The Idea of History*, Oxford, 1946, pp. 215, 282 ff.

between the historian and the creative writer, both of whom seek to make their picture of a past event a coherent whole. According to Dilthey, this search for living coherence is of the very essence of understanding, and its movement is from the whole to the parts: 'in understanding we start from the coherent system of the whole, which is given to us in living experience, so as to grasp the particular in terms of this datum'.[1] This kind of comprehension is possible because we bring to it our own experience, with all its manifold implications; it is, in Dilthey's arresting phrase, 'a rediscovery of the I in the Thou': 'ein Wiederfinden des Ich im Du'.[2] The more a writer brings to this task, the more vivid and profound his understanding will be. 'The vigour and scope of our own life, and the energy with which we reflect on it, are the foundation of historical vision. They alone make it possible to give a new life to the bloodless shades of the past.'[3]

How do these considerations apply to Schiller's play? Can it be said that the story of Mary, Queen of Scots, had 'happened in such a way that for his purpose he could hardly have invented anything better', and that his portrayal of the heroine's character squares with the findings of historical research? Does Schiller's play, taken as a whole, give a true account of the political conflicts which found their focus in the life and death of Mary Stuart, and does Schiller's heroine bear a true affinity to her historical counterpart?

As a student of history who had devoted special attention to the period of the Counter-Reformation, Schiller was familiar with what earlier historians had written on his subject. His sources included the writings of partisans — William Camden's sympathetic account of Mary's Scottish reign and George Buchanan's fiercely anti-Marian *Rerum Scoticarum Historia* (1582)[4] — as well as the works of later authors who aimed at a

[1] Wilhelm Dilthey, *Gesammelte Schriften*, vol. V (Leipzig and Berlin, 1924), p. 172.
[2] Wilhelm Dilthey, *Gesammelte Schriften*, vol. VII (1927), p. 191.
[3] Wilhelm Dilthey, *Gesammelte Schriften*, vol. VII, p. 201.
[4] William Camden, *Annales rerum Anglicarum et Hibernicarum regnante Elizabetha*, first published in 1615. — The racy Scots version of Buchanan's pamphlet *Detectio Mariae Reginae* shows him in his role of counsel for the prosecution: *Ane detectioun of the duinges of Marie Quene of Scottes, touchand the murder of hir husband, and hir conspiracie, adulterie, and pretensed mariage with the Erle Bothwell*, London, 1571.

more balanced treatment, such as David Hume's *History of England* (vol. 5, 1759) and William Robertson's *History of Scotland* (1759). Schiller's knowledge of these and other authorities is evident throughout the play. Where he deviates from recorded fact he does so deliberately, telescoping the sequence of events and suppressing details so as to concentrate on the essentials of the situation. Thus Bellièvre (II, 2) stands for a whole series of special French embassies, and the incident of the ring (ll. 1207 ff.) is reported to have occurred during François d'Alençon's second visit to Elizabeth's court in the autumn of 1581. Similarly Mortimer, a fictitious character modelled on Anthony Babington, is a kind of stage *revenant* of all those fanatical Catholics (Dr. Parry, the Jesuit Creighton, Babington's fellow-conspirator Ballard, and others) who were prepared to gamble away their lives for Mary's sake. These 'unhistorical' touches simplify the story without falsifying it; and the same may be said of the controversial scene (III, 4) in which the two Queens meet. On more than one occasion — in 1562, and again in 1564 — Elizabeth had in fact made plans for an interview with her cousin. Ever since Mary's arrival in Scotland in 1561, and even more since her flight to England in 1568, the two Queens had been almost constantly in each other's thoughts. They had exchanged numerous letters, some of them censorious and full of acrimony. Schiller's imaginary conversation provides a highly concentrated résumé of these contacts and preoccupations, presenting them in terms of drama.

If Schiller's play is to be faulted on the score of historical accuracy, its most vulnerable point is the portrayal of Elizabeth and her entourage. The noble role which the poet assigns to the Earl of Shrewsbury has no foundation in historical fact. The Earl of Leicester in the play bears some resemblance to his historical namesake (who had at one time been suggested to Mary as a suitable consort and who had subsequently taken a leading part in the Norfolk cabal of 1569 which aimed at Mary's restoration); he has his smooth tongue, his ambitious nature, his selfishness, his opportunism. But somehow he lacks the style, the panache, the glamour of the historical Robert Dudley, who was considered the first courtier of his time and known as 'the Great Lord'. A man who could remain for so long the favourite of so exacting and capricious a sovereign must have had uncommon appeal. In Schiller's play one does not quite see why

Leicester stands so high in his Queen's favour — though it has to be admitted that his Queen, too, falls far short of her great historical model. To point the contrast between the two principal figures, Schiller found it necessary to stress the unlovable features in Elizabeth's nature — her vanity, her coquetry, her cynicism, her occasional cruelty. The result is an unbalanced portrayal which fails to bring out what was good in Elizabeth's complex character — her rich humanity, her devotion to the task to which she had been called, her political astuteness, her sense of humour, and her intellectual distinction: all those qualities, in fact, which gave her such a magic hold over the hearts of her people and which compelled the admiration even of her enemies.

Although the characters of Elizabeth and Leicester in *Maria Stuart* lack magnitude, Schiller had no intention of letting the significance of Mary's death on the scaffold appear scaled down to the reduced stature of her opponents, as if it were no more than the sad consequence of private jealousy and inept political manœuvring. His play offers a disturbing analysis of the problem that arises whenever political expediency masquerades as justice and judges are subjected to the pressures of power politics or ideological conflict. As Mary's captivity wore on, as her restitution to her Scottish throne became more and more impracticable and undesirable, as Catholic agitation at home and Catholic infiltration from abroad continued to present a threat to peace, as the Northern rebellion was followed by the Ridolfi plot, the Throckmorton plot, and the Babington conspiracy, those who were guiding the affairs of England decided that their prisoner had become too dangerous a liability and that there was only one way of putting an end to what could not be allowed to go on. In the words of a modern historian, 'there was no way out of Mary's tragedy of passion and politics other than the pathetic way of death'.[1] In Schiller's play, as in the historical records, the voice of political necessity speaks in the measured accents of Lord Burleigh. The Lord Treasurer acts from honourable motives; he does his duty by his Queen and his country as he sees it. But he is under no illusions about the conditions of political action: if power corrupts, then statecraft has to reckon with a corrupt world and pursue its objects in it as best it can.

---

[1] J. E. Neale, *Queen Elizabeth*, London, 1942 (reprint), p. 264.

Burleigh argues the legal issue with great skill, stating the English government's case as eloquently as Mary states hers; yet, whatever the merits of his case, and however anxious he may be to preserve every appearance of legality, it is clear that what determines his thinking in the last resort is not justice but expediency. In all essentials, Schiller's picture of Burleigh agrees remarkably closely with that drawn by modern historians, notably by Conyers Read in his two massive volumes with their wealth of detailed documentation.[1]

On the two major legal issues of Mary's career — the question of her complicity in Darnley's murder and the question of her complicity in Babington's conspiracy against the life of Elizabeth — Schiller's play offers clear-cut decisions: it pronounces her guilty of the first crime (cf. ll. 292 f., 3697 f.) and innocent of the second (cf. ll. 3729 ff.), and it represents her as accepting an unjust sentence in atonement for the sins of her youth. Historically speaking the first of these verdicts is more easily sustained than the second. It is strongly supported by some of Schiller's authorities — not only by the violently anti-Marian Buchanan but by the judicious Dr. Robertson, whom Schiller greatly admired and whom he had at one time hoped to emulate. Robertson devotes a lengthy Appendix to the vexed question of the Casket Letters; his marshalling of the evidence shows that he believed them to be genuine and that he accordingly accepted their damaging testimony.[2] Even if one disregards the Casket Letters, which present-day historians have 'set aside as thoroughly untrustworthy evidence',[3] the crime of Kirk o' Field and Mary's association with Bothwell remain the darkest episode in her entire career. The precise degree of her complicity may remain doubtful — there are, after all, various ways of being an accessary before the fact — but the events of the last months of Mary's reign are not in dispute, and they tell their sorry tale all too plainly: the Queen's absence from Kirk o' Field on the night of the crime, the (collusive?) 'rape' at Dunbar, Bothwell's

[1] Conyers Read, *Mr. Secretary Cecil and Queen Elizabeth*, London, 1955; *Lord Burghley and Queen Elizabeth*, London, 1960.

[2] William Robertson, *The History of Scotland*, 2 vols, London, 1759. Appendix to vol. 2: 'A Critical Dissertation concerning the Murder of King Henry, and the Genuineness of the Queen's Letters to Bothwell'. — Hume takes the same view: cf. *The History of England*, vol. V, revised ed., London, 1778, chap. 39, pp. 141 ff.

[3] J. B. Black, *The Reign of Elizabeth*, 2nd ed., Oxford, 1959, p. v.

'acquittal', secured by intimidation in a trial in which all the rules of procedure were flouted, and Mary's marriage to the man whom public opinion accused of having murdered her previous husband, three months after the murder and a week after Bothwell's divorce from his first wife, granted, 'with indecent and suspicious precipitancy',[1] on the ground of his adultery.[2] Here, indeed, was matter for introspection. The part she had played in this sequence of events — whether as an active accomplice or merely as a consenting party — must have been re-enacted again and again in her most secret thoughts, and it is perfectly reasonable to assume that this is what she had in mind when, in her last will and testament, she used the pious formula 'me reconnoissant indigne pécheresse'.

The apportioning of the heroine's guilt in *Maria Stuart* may therefore be accepted as historically valid, even though in the matter of the Babington plot Schiller lets her off more lightly than the evidence permits. Not that the evidence is entirely conclusive; the manner in which it was obtained weakens the case for the prosecution, and so does Walsingham's forged postscript, to say nothing of the conduct of the trial, in which the accused was not confronted with the principal witnesses. Pro-Marians have not hesitated to represent her trial as a travesty of justice, and even W. Robertson (whom Schiller again follows) is clearly of the opinion that the evidence led at the trial did not warrant a conviction. Modern historical scholarship, while admitting that Mary's trial 'would amaze and shock a modern lawyer',[3] accepts the charge of conspiracy to assassinate Elizabeth as established.[4] Schiller's heroine, though she half admits (at least by implication: cf. ll. 876 f.) that she has been in touch with Babington, strenuously denies having planned the assassination of Elizabeth

[1] William Robertson, *The History of Scotland*, London, 1759, vol. I, p. 358.
[2] Rapin de Thoyras, whose *Histoire d'Angleterre* Schiller found useful as background reading (cf. letter to Goethe, 12 July 1799), sums the matter up in a delightful understatement: 'Cela, joint à la haine qu'elle avoit conçue contre le Roi, forme un fâcheux préjugé contre elle.' *Histoire d'Angleterre*, 2nd ed., The Hague, 1727, vol. VI, p. 231.
[3] J. E. Neale, *Queen Elizabeth*, London, 1942, p. 257.
[4] Cf. J. B. Black, *The Reign of Elizabeth*, p. 382; J. E. Neale, *Queen Elizabeth*, p. 257; Conyers Read, *Lord Burghley and Queen Elizabeth*, London, 1960, p. 357.

or having been privy to such a plot. In her interview with Burleigh (I. 7), this denial might be a lie; but Schiller makes her
repeat it at a solemn moment when we have no right to doubt
her word — in face of imminent death, under the seal of the con-
fessional. Here Schiller goes beyond the evidence offered by his
authorities, in as much as a verdict of 'not proven' (which is what
Robertson's account suggests) is not the same as proof of
innocence. It is well to remember, however, that Mary Stuart's
plea of 'not guilty' to the charge of conspiracy against Elizabeth's
life was not by any means her only line of defence. From the
start she had denied the competence of the tribunal, taking her
stand on the privilege of exterritoriality conferred upon her by
her status as a sovereign Queen; and the force of these arguments is reflected in Elizabeth's long and painful hesitation before she signed the death-warrant, in her 'answers answerless'
which were the despair of her advisers. Whatever might or
might not have been proved against her, Mary, Queen of Scots,
went to her death protesting that she had been wrongfully sentenced by a court which had no jurisdiction over her: and that is
the situation to which Schiller leads his heroine, though by a
route which diverges from the historians' at several points.

Amid the welter of conflicting opinion, there seems to be
general agreement on one point, at least: it may be said of Mary,
as it was of the traitorous Earl of Cawdor, that 'nothing in her
life became her like the leaving it'. There are those who see in
her superb bearing in the hour of death merely the farewell performance of a consummate actress who was determined to sus-
tain the role of a noble martyr to the very end. It is permissible,
however, to put a different interpretation upon the accounts we
have of Mary's execution — accounts which speak of her stead-
fast courage and serene composure, depicting her 'with her
countenaunce carelesse, importing thereby rather mirth than
mornefull cheare'.[1] (It is interesting to observe that the memorial
portrait painted for Elizabeth Curle, one of Mary's women who
had been present at the Queen's execution — 'the last portrait of
Mary Stuart which can be accepted as an authentic likeness'[2] —

---

[1] Robert Wynckfield's report to Lord Burghley, preserved among
the Lansdowne MSS. in the British Museum; quoted by Lionel
Cust in *Authentic Portraits of Mary Queen of Scots*, London, 1903,
p. 95.

[2] Lionel Cust, *Authentic Portraits of Mary Queen of Scots*, p. 102.

catches at least a faint reflection of that serenity. The painting, which had originally been bequeathed to the Scottish College at Douai, now hangs in Blairs College, a Roman Catholic seminary near Aberdeen. A Latin inscription dwells upon the illegality of Mary's imprisonment and describes her as going to her doom 'invicto sed pio animo'.) What strikes some historians as a brave piece of play-acting may equally well be read — and this is Schiller's reading — as the transfiguration of a *magna peccatrix* who at the last enters into a state of grace. Now that she no longer strives to adapt herself to the pattern of the world in which she has played so ambiguous a part, her past falls away from her: her mind is remade and her whole nature transformed.[1] Casting out all rancour, forgiving her enemies, she finds the peace which life had hitherto withheld. It is as if the subject of the 'Labanoff' portrait — a sophisticated woman of the world who knows much and who gives nothing away — had suddenly recaptured the grave innocence of the beautiful chalk drawing in the Bibliothèque Nationale which shows Mary Stuart as Dauphine of France.

This interpretation is perfectly compatible with the circumstances of Mary's death as Schiller found them related in his sources. However, in order to present the heroine's change of heart in terms of the theatre he once again decided to improve upon his authorities, who state that Mary was refused the ministrations of a priest of her own Church before her execution. (Robertson remarks indignantly that 'even this favour, which is usually granted to the vilest of criminals, was absolutely denied'.)[2] Schiller contrives to provide her with a confessor in the person of Melvil, her old major-domo, who has secretly taken Holy Orders and who is thus able to administer the Sacrament of Holy Communion. Strangely enough, Schiller's invention accords with a contemporary account which has only recently come to light. The report in question was sent to Archbishop James Beaton, who had been Scots ambassador at the court of France since 1561; it is now among the muniments of Blairs

---

[1] Cf. Romans, xii, 2, in the version of the New English Bible.
[2] William Robertson, *The History of Scotland*, London, 1759, vol. 2, p. 146. David Hume (as befits a sceptic) shows no such indignation, but he, too, refers to 'the want of a priest and confessor, who was refused her'. *The History of England*, vol. V, revised ed., London, 1778, chapter 42, p. 313.

College, Aberdeen.[1] The document describes 'the manner of the most lamentable death of the Queen of Scotland'; it tells how, after having been offered the services of 'a Puritan heretic whom she wholly refused and rejected', she spent the night in prayer and meditation, and it continues as follows: 'And on the dawn before she was subjected to the torment of death she received the Most Holy Eucharist, having communicated by the hand of a Priest, her familiar, whom she had with her secretly and unknown to others.'

'The manner of the most lamentable death of the Queen of Scotland' set the whole story of her life in a new perspective, investing it with a nobility which it would not otherwise have had. The sombre scene at Fotheringay marks the beginning of a legend in which the discords of Mary's life are at length resolved. The last act of Schiller's play mirrors this transformation. We see Mary as a new woman; we see, not what she was, but what she had it in her to be — the corruptible having put on incorruption.

When Nicholas White, a friend of Cecil's, visited Mary, Queen of Scots, at Tutbury in the spring of 1569, he saw on her chair of state a motto the meaning of which eluded him. 'In looking upon her cloth of estate' (he reports), 'I noticed this sentence embroidered: "*En ma fin est mon commencement*", which is a riddle I understand not.' Eighteen years later, at Fotheringay, when Mary was under sentence of death, her cloth of state was taken down, since such a mark of royal honour was held to be no longer appropriate; whereupon she put a crucifix in its place. To the reader of *Maria Stuart*, the meaning of the 'riddle' which puzzled Nicholas White is plain enough; and the meaning which he finds in Schiller's play is more consistent with the historical record than it has been given credit for.

V. *Maria Stuart* AND SCHILLER'S THEORY OF TRAGEDY

During the decade that elapsed between the completion of *Don Carlos* (1787) and the beginnings of *Wallenstein* (1796) — a period devoted in large measure to the study of history and philosophy — Schiller gave much thought to the theory of tragedy. He formulated his conclusions in a series of essays

[1] It was first published, in English translation from the original Latin, by Walter R. Humphries; *Aberdeen University Review*, XXX, 1, 1943, pp. 20 ff.

written in the 1790s (*Über den Grund des Vergnügens an tragischen Gegenständen*, 1792; *Über die tragische Kunst*, 1792;
Über Anmut und Würde, 1793; *Über das Pathetische*, 1793; *Über
das Erhabene*, probably 1795). As one would expect, the ideas
set forth in these essays are reflected, to a greater or lesser extent, in every one of Schiller's later plays. In none of them, however, are they embodied more clearly, more completely, and
more satisfyingly than in *Maria Stuart*.

One of the *idées maîtresses* in Schiller's philosophical thinking
is the idea of freedom. It runs through all his writings, and it
developed as he matured, acquiring a richer and more subtle
meaning. As Goethe put it in one of his conversations with
Eckermann (18 January 1827), 'the idea of freedom assumed a
different form as Schiller advanced in his own development and
became a different person. In his youth it was physical freedom
that preoccupied him and found its way into his works; in later
life it was spiritual freedom.' By freedom Schiller came to mean
something more positive than the mere absence of outward com-
pulsion or restraint: a man may not be subject to external
pressures of this kind, and yet he may be anything but free,
being a slave to his ambition, sensuality, vanity, or greed. To
attain true freedom, in Schiller's sense, a man must so condition
the impulses of unregenerate nature as to keep them in tune with
the dictates of his conscience: duty must lose its compulsive
character and become second nature. Such a person will normally do his duty, not slavishly, not because he fears social
opprobrium or the penalties of the law, but cheerfully and without any sense of strain, because it seems the natural and the most
satisfying thing to do; he will be 'good by instinct', and thus
exhibit the quality of moral grace.

The notion of 'moral grace' in a harmoniously balanced personality had been developed in the *Characteristicks* of Anthony
Ashley Cooper, third Earl of Shaftesbury (1711), whose ideas
Schiller had absorbed, if only at second hand. Schiller used it as
an argument against Kant, who had stressed the uniqueness of
moral experience and had formulated his concept of the 'cate-
gorical imperative' of duty with what seemed to Schiller
unnecessary rigour. Kant, he observes, had become the Draco
of his age because the time was not ripe for a Solon. 'In the moral
philosophy of Kant, the idea of Duty is expounded with a
harshness which frightens all the graces away and which could

easily tempt a feeble intellect to seek moral perfection by way of a dark and monkish asceticism' (*Über Anmut und Würde*). But if Schiller used arguments derived from Shaftesbury to temper the severity of Kant's doctrine, he could not, on the other hand, content himself with Shaftesbury's somewhat facile optimism which tends to ignore the tragic aspects of the human situation. There are occasions, all too common in human experience, when the performance of one's duty necessarily entails sacrifice and suffering. It is at such times of crisis, when duty and inclination clash and a hard and bitter choice must be made, that Kant's teaching comes into its own. In face of hostile circumstance and evil fate, man's last refuge is that inward freedom of the soul which makes him independent of chance and change in the material world: 'Cases may arise when Fate takes all the out-works on which a man relied for his safety, and when nothing remains for him but to take refuge in the sacred freedom of the spirit' (*Über das Erhabene*). Schiller sees the crises of life — be they caused by outward misfortune or by inner conflict, or both — as a battleground where man fights to save his soul, if need be at the price of all that he holds dear. These are the solemn 'moments of truth' when (as Schiller puts it in his poem *Die Führer des Lebens*) 'man stands, awestruck, on the brink of eternity': 'Wo an der Ewigkeit Meer schaudernd der Sterbliche steht.' At such moments moral grace gives way to the sublime. When a man pits the strength of his spirit — never fully revealed until it is tested to breaking-point — against the worst that may befall; when he emerges from the ordeal, shattered and broken, perhaps, yet — paradoxically — triumphant even in defeat, he rises to the stature and dignity of a tragic hero. Harrowing as it may be, it is nevertheless a spectacle that exalts and inspires, for it shows death swallowed up in victory. The fate that threatens the hero may be not only hard but positively unjust by any ordinary standards of justice; he may have been in no position to foresee the consequences of his actions, and common sense may therefore refuse to hold him responsible for the tragic issue. But the hero rises superior even to a malign fate; shouldering the tragic burden, accepting the sacrifice of life itself, he ceases to be a mere victim of circumstance, and his suffering takes on the quality of an act of faith. The ordeal makes a new man of him; he emerges from it spiritually regenerate, and while we pity him in his anguish, we rejoice in his moral rebirth.

The moral orientation in Schiller's conception of tragedy is unmistakable. He stresses it himself when he says (in the essay *Über den Grund des Vergnügens an tragischen Gegenständen*) that 'the sphere of tragedy comprises all possible cases in which some natural expediency is sacrificed to a moral purpose or, alternatively, a moral purpose is sacrificed to another, higher, one'. It should not be assumed, however, that Schiller thought of tragedy as a court of law in which the punishment is in every case made to fit the crime. He does not suggest that tragedy should exhibit a wholly rational world order, readily intelligible to our finite judgment, in which everyone is served according to his deserts, excluding all the hazards, the accidents, and the perplexities which loom so large in human experience. Rather he invites us to admire men and women who, even at the very threshold of death, attest their stubborn belief in the spiritual values by which they have chosen to live: heroes and heroines who by their greatness of soul save the spectacle of tragic suffering from being merely depressing. Schiller knows better than to make tragedy the handmaid of philosophy or theology. But without seeking to extract from it any proof of a transcendental cosmic harmony or any dogmatic assurances, he is aware of what has been called the paradox of tragedy — the mysterious and challenging fact that 'its conclusions are not contained within its premises, that it radiates light from darkness, destroys hope and harbours it; that do what disaster may with these heroes they gain the more upon us; when Nature has vanquished and cast them out they continue to reign in our affections, in a kingdom inaccessible to Fortune, uncircumscribed by time and with a relish of remoter duration'.[1]

For all his philosophical bent, Schiller was too much of an artist to write to a fixed formula; not all his later plays fit comfortably into the framework of his own theory. In *Maria Stuart*, however, practice chimes with theory to a remarkable degree. The heroine's moral regeneration forms the main theme of the play. Schiller makes Mary a woman of great beauty and vitality in whom quick-witted discernment is at times blinded by the impulses of a passionate nature; a Queen who, throughout the long years of her captivity, remains proudly conscious of her royal blood. Although we are made to see her as the central figure

[1] W. Macneile Dixon, *Tragedy*, London, 1938, p. 138.

in a vast political struggle — the clash between Elizabethan
England and the Roman Catholic powers — the essential
dramatic conflict is fought out, not between external forces but
in the mind of the heroine. The question at issue is whether and
how she is to reconcile herself to the fate which she cannot hope
to avert. The decision is rendered more difficult because the
case against Mary (according to Schiller's interpretation) is not
proven. Her bearing in this crisis conforms to the pattern which
Schiller had sketched in his essay *Über das Erhabene*: 'abandon-
ing with dignity what she cannot save', she turns outward
disaster into inward triumph by 'taking refuge in the sacred
freedom of the spirit'. As her faithful companion points out, this
change of outlook cannot be other than sudden; it is a leap of
faith.

> Man löst sich nicht allmählich von dem Leben!
> Mit einem Mal, schnell, augenblicklich muß
> Der Tausch geschehen zwischen Zeitlichem
> Und Ewigem. . . .

(V, 1, 3402 ff.)

These words of Hannah Kennedy's echo a passage in *Über das
Erhabene*: 'Not gradually (for there is no transition from de-
pendence to freedom) but by a sudden shock the sublime tears
the independent spirit out of the net in which refined sensuality
held it captive.' Though Mary regards herself as the victim of a
miscarriage of justice — the sentence which sends her to the
block being, in her view, both unjust and *ultra vires* — she accepts
the verdict in expiation of sins committed in days long gone by;
and she emerges as a new woman from the ordeal which lays the
ghosts of her past. She has overcome the world; by giving to the
decree of her temporal judges a meaning which they had not
intended, she rises superior to their jurisdiction, a being re-
deemed and transfigured. Schiller does not hesitate to introduce
the ritual of the Eucharist in order to give visible expression to
the heroine's change of heart: as she prepares to receive the
wages of sin, Mary makes her confession, receives the sacrament
(*sub utraque specie*) and is granted absolution by one who,
according to her faith, holds the keys of the kingdom of heaven.

It has been suggested that this sublimation comes too late to
be fully convincing. The historical Mary Stuart was a prisoner in
England from 1568 until 1587. Schiller has shortened the period

of her captivity in his play, thus making his two Queens much younger than their middle-aged prototypes in history. Even on Schiller's own showing, however, about seven years are assumed to have elapsed between the murder of Darnley and Mary's execution: years during which, though troubled by pangs of conscience, she continued to cherish worldly ambitions, hoping for a return to freedom and power. Some critics think that this time-lag between her crime and its expiation impairs the co-hesion and the sense of inevitability which are deemed essential for a fully tragic effect.[1] Such criticism rests on the assumption that tragedy should vindicate the rationality of events, exhibiting a clearly traceable causal connection between guilt and just retribution. There is no reason to believe, however, that Schiller thought in terms of so simple a formula. His tragedy is not exclusively concerned with the question of the heroine's moral responsibility; another aspect, no less important, is the way she meets the calamity that befalls her — a calamity rendered inevitable by the force of circumstances as well as by her own conduct. The final test reveals her true mettle; snared in an evil time, she acts with sublime dignity and composure, displaying what Schiller (in his essay *Über das Pathetische*) calls *das Erhabene der Fassung*. She is no longer blinded by her former passions; suddenly she sees her whole life in a new perspective, and what might have appeared unjust and meaningless from a more restricted point of view falls into place when viewed *sub specie aeternitatis*.

VI. 'THE EURIPIDEAN METHOD'

Even before putting pen to paper Schiller saw, in a flash of inspiration, how he was going to deal with the complexities of his historical material. In his letter to Goethe of 26 April 1799 — in which he reports that he has begun to study the trial of Mary Stuart and that he feels attracted by the story — he writes: 'The subject seems to be particularly suited to the Euripidean method, which consists in the most complete presentation of the situa-tion, for I see a possibility of eliminating the whole trial to-gether with all political matters and to start the tragedy with the death sentence.' The technique of retrospective analysis (which Schiller had studied and admired, not only in Euripides, but

[1] Cf. L. Bellermann, *Schillers Dramen*, vol. 2, 5th ed., Berlin, 1914, pp. 198 ff.; Melitta Gerhard, *Schiller*, Berne, 1950, p. 363.

more particularly in the *Oedipus* of Sophocles) focuses attention on the situation as it presents itself immediately before the final catastrophe; the past is shown to be implicit in the present, and as the hidden implications are gradually revealed, the events of the play are recognized as the fulfilment of what began long ago. To apply this technique to the subject of Mary, Queen of Scots, was obviously a task of formidable difficulty. Schiller solved the problem, with brilliant dramatic craftsmanship, by means of an expository *tour de force*, extruding from the action of his play everything that precedes the last three days of the heroine's life. All the complicated antecedents are woven into the dialogue, adding the warp to the weft of the action which unfolds before our eyes; they transpire, with what looks like a minimum of calculated contrivance, in the course of reminiscences, legal and political arguments, impassioned pleading and angry altercation. Using the 'Euripidean method' with masterly skill, Schiller gradually recalls the whole story of Mary Stuart's life, from her youth at the court of France down to her flight to England, her long, increasingly strait imprisonment, and her trial. And while the historical background is thus being filled in, the drama moves irresistibly towards its goal — the execution of the death sentence. Those influences which seek to retard the march of events merely serve, ironically, to speed it up.

The action of the play may be briefly summed up as follows. When the curtain rises on the first act, Mary is already under sentence of death for her alleged complicity in Babington's plot against the life of Elizabeth, and Lord Burleigh arrives at Fotheringay to apprise her of the verdict. Mary, however, immediately denies the competence of the court. She came to England seeking sanctuary, and her royal birth and status, she claims, confer upon her the privilege of exemption from criminal proceedings. Burleigh rejoins that neither the right of asylum nor the status of the refugee can ever sanction subversive political agitation or attempts on the life of the sovereign, and that such crimes against the state must obviously be dealt with according to the law of the country in which they were committed. Mary counters these arguments by pointing out that her complicity in Babington's plot has not been conclusively established according to the rules of English legal procedure because she has never been confronted with the principal witnesses for the prosecution. As for her subversive activities, she argues that she has been unlawfully restrained and that she was entitled to seek redress by rallying her friends abroad to her support. Here she invokes one of the basic principles of natural law, the right of legitimate self-defence, of meeting unlawful force by force. And when Burleigh gravely reminds her that an appeal to force is not likely to benefit a prisoner, he gives her the opening she needs to wind up her case. She is only too well aware that Elizabeth has her in her power and can have her executed: all she has to do is to confirm the sentence of the tribunal by adding her signature. But if she does so, Mary declares, it will be an act of naked force which no specious show of legality can mask.

Elizabeth has every reason to desire the death of her cousin. Even behind prison walls, Mary remains a storm-centre of political controversy, a symbol and rallying-point of Catholic aspirations in England, and a standing challenge to the legitimacy of Elizabeth's rule. In addition to these political motives, there is personal ill will: the jealous antipathy of a sexually frustrated older woman against a younger one who had never cherished any ambition to go down to posterity as a virgin queen. Nevertheless, Elizabeth hesitates to sign the death-warrant. Though she would like to see Mary dead, she shrinks from the odium of sanctioning the execution of her unfortunate rival. Her chief councillors offer conflicting advice. Talbot's generous humanity and incorruptible sense of justice prompt him to plead for Mary; Cecil, on the other hand, insists that only Mary's death can safeguard the peace and unity of the realm. While Elizabeth hesitates, others are active on Mary's behalf. Mortimer, a fanatical young partisan of Mary's cause, and desperately in love with Mary herself, is plotting to liberate her by a daring *coup de main*. At the same time the Earl of Leicester, Elizabeth's favourite and formerly a candidate for Mary's hand, endeavours, for reasons of his own, to bring about a reconciliation between the two Queens. Both plans miscarry. Leicester persuades Elizabeth to meet Mary, but the meeting ends disastrously. Mary humbles herself in vain; Elizabeth merely gloats over her stricken enemy's misfortune. When at last Mary realizes that no self-abasement will avail, her passionate spirit reasserts itself, and the interview ends in a violent quarrel. Anger and long-nourished bitterness put deadly venom into Mary's taunts; she emerges victorious from the battle of words. For a few brief moments at the end of this emotional scene Schiller shows us the helpless prisoner transformed into her former self, proud, beautiful, reckless — Mary Stuart as she was during the stormy years of her Scottish reign.

Soon after the fatal meeting of the two Queens, Mortimer's plot is foiled by the premature action of one of his accomplices, who makes an unsuccessful attempt on Elizabeth's life while she is on her way back to London. Mary's fate is sealed; after what has happened, she cannot hope for mercy from Elizabeth, while the discovery of Mortimer's plans adds weight to Burleigh's arguments. Elizabeth signs the warrant, and the sentence is carried out. Mary's secretary, Curle, confesses to having falsely testified against his Queen; but his admission of perjury comes too late to stay the execution. Elizabeth tries to put the blame on Burleigh and on her secretary Davison; but Shrewsbury's refusal to hold office any longer and Leicester's flight show that she cannot escape responsibility.

Inevitably, the characters of the two Queens overshadow the male roles in the play. Nevertheless, the men are more than mere foils. It is true that Schiller's Leicester has neither the Elizabethan vitality nor the Elizabethan charm of his historical counterpart; but Burleigh is a lifelike portrait of a patriotic statesman, far-seeing, realistic, and resourceful; and Mortimer is a striking study of a mentally and morally unstable youth, with a convert's zeal and the desperate bravery of the fanatic. His sensuality (which seems to have shocked some of Schiller's contemporaries) serves an important dramatic purpose: at a crucial moment, it conjures up the daemon of reckless passion which ruled Mary's past and which would lie in wait for her again, should she regain her freedom.

While the core of the tragedy lies in the inward crisis, the conflict between Mary and Elizabeth provides the play with its main structural principle. Its scenes are evenly and symmetrically divided between Mary's prison and Elizabeth's court, the result being a design of classical regularity. The carefully balanced architecture of the play and the severe concentration of the action suggest a certain affinity with French tragedy; so does the quasi-forensic technique, the marshalling of the arguments for and against the execution of the death sentence, and the frequent use of antithesis. Schiller's attitude towards French drama was always highly critical; however, Goethe and Humboldt insisted on the positive merits of the French style of dramatic composition, with its admirable clarity and harmony of design: and although Schiller found most French plays rather dry, stiff, and artificial, he was prepared to learn the lesson they had to teach — nowhere more so than in *Maria Stuart*, which of all his plays is the one most closely akin, in spirit and in technique, to the *tragédie classique*. It was not for nothing that Mme de Staël called it 'de toutes les tragédies allemandes la plus pathétique et la mieux conçue'.

Perhaps Mme de Staël protests too much. However, if her praise of Schiller's play is exaggerated, and if, in any case, her credentials as a critic of German drama are a little suspect, one may at least concede that her admiration was not misplaced. Schiller's historical insight, the remarkable congruity of dramatic practice and critical theory, the brilliant use of the 'Euripidean method', the elegant design of the play, the fascinating portrayal of the principal character, the verve and vitality of Schiller's blank verse — all these merits combine to make *Maria Stuart* a classic of German, and indeed of European, drama.

Bibliographical Note

The most comprehensive recent Schiller bibliography is by Wolfgang Vulpius: *Schiller Bibliographie, 1893–1958*, Weimar, 1959. It covers editions of Schiller's works and letters, biographies, criticism, as well as the repercussions of Schiller's ideas and the history of his posthumous fame. A bibliography of *Schiller in England (1787–1960)* was published in 1961, as vol. XXX (New Series) of the Publications of the English Goethe Society.

Readers of this volume who wish to consult one of the principal modern editions of Schiller's complete works are referred to the following:

Johann Christoph Friedrich SCHILLER, *Sämtliche Werke*, ed. by E. von der Hellen; 16 vols., Stuttgart and Berlin, 1904–1905. (The so-called 'Säkulär-Ausgabe'. Vol. 6 contains Julius Petersen's edition of *Maria Stuart*.)

—— ed. by C. Schüddekopf, continued by C. Höfer; 22 vols. Vols. 1–15, Munich and Leipzig, 1910–1914; vols. 16–22, Berlin, 1920–1926. ('Horenausgabe'. Presents the works and most of the letters in chronological order.)

—— ed. by Gerhard Fricke, H. G. Göpfert, H. Stubenrauch; 5 vols., 2nd ed., Munich, 1958–1959. (A compact and reliable recent edition.)

The new 'Nationalausgabe' (publ. by H. Böhlau, Weimar) is scheduled to comprise some 40 volumes; when it is complete, it will be the major critical edition. Volume 9 (Weimar, 1948) — from which the text in the present edition is taken — contains B. von Wiese's and L. Blumenthal's edition of *Maria Stuart*. Their list of variant readings (pp. 341–56) shows the textual differences between the first printed edition of the play (publ. by Cotta, Tübingen, 1801), the stage copies used for performances in Leipzig, Dresden, Hamburg, and Berlin, and the English translation by J. C. Mellish (London, 1801), who received Schiller's manuscript in instalments while the work of composition and revision was still in progress.

The standard edition of Schiller's letters is by Fritz Jonas: *Schillers Briefe*, 7 vols., Stuttgart, Leipzig, Berlin, Vienna, 1892–1896. A useful selection (608 letters in one volume) has been brought out by G. Fricke: *Friedrich Schiller: Briefe*, Munich, 1955.

Of the many books which deal more or less comprehensively with Schiller's life and works, only very few can be mentioned here. (Those marked with an asterisk are specially suitable for sixth-form work and first-year university courses; the others will meet the needs of more advanced students.) Carlyle's *Life of Friedrich Schiller** (2nd ed., London, 1845) remains interesting as the earliest critical biography of any lasting value. R. Buchwald (*Schiller*; 2 vols., 2nd ed., Wiesbaden, 1953–1954) and B. von Wiese (*Friedrich Schiller*, Stuttgart, 1959) offer full and detailed treatment, both on the biographical and on the critical side. More than 120 illustrations relating to Schiller's life and literary career — many of them not otherwise easily accessible — are conveniently gathered together in Bernhard Zeller's attractive 'pictorial biography', *Schiller: Eine Bildbiographie*,* Munich, 1958. There are two fairly recent studies in English, H. B. Garland, *Schiller** (London, 1949), and W. Witte, *Schiller* (Oxford, 1949).

Various aspects of Schiller's works — including such topics as 'Scottish influence on Schiller' and 'Law and the social order in Schiller's thought' — are discussed in W. Witte, *Schiller and Burns and Other Essays*, Oxford, 1959.

A useful guide to the literature dealing with Mary, Queen of Scots, will be found in the bibliographical section at the end of J. B. Black's *The Reign of Elizabeth*, 2nd ed., Oxford, 1959, pp. 507–9.

MARIA STUART

Ein Trauerspiel in fünf Aufzügen

Personen

ELISABETH, *Königin von England*

MARIA STUART, *Königin von Schottland, Gefangne in England*

ROBERT DUDLEY, *Graf von Leicester*

GEORG TALBOT, *Graf von Shrewsbury*

WILHELM CECIL, *Baron von Burleigh, Großschatzmeister*

GRAF VON KENT

WILHELM DAVISON, *Staatssekretär*

AMIAS PAULET, *Ritter, Hüter der Maria*

MORTIMER, *sein Neffe*

GRAF AUBESPINE, *französischer Gesandter*

GRAF BELLIEVRE, *außerordentlicher Botschafter von Frankreich*

OKELLY, *Mortimers Freund*

DRUGEON DRURY, *zweiter Hüter der Maria*

MELVIL, *ihr Haushofmeister*

BURGOYN, *ihr Arzt*

HANNA KENNEDY, *ihre Amme*

MARGARETA KURL, *ihre Kammerfrau*

SHERIFF DER GRAFSCHAFT

OFFIZIER DER LEIBWACHE

FRANZÖSISCHE UND ENGLISCHE HERREN

TRABANTEN

HOFDIENER DER KÖNIGIN VON ENGLAND

DIENER UND DIENERINNEN DER KÖNIGIN VON SCHOTTLAND

* An asterisk in the text indicates a note
at the end of the volume.

ERSTER AUFZUG

Im Schloß zu Fotheringhay. — Ein Zimmer

Erster Auftritt

HANNA KENNEDY, Amme der Königin von Schottland, in heftigem Streit mit PAULET, der im Begriff ist, einen Schrank zu öffnen. DRUGEON DRURY, sein Gehilfe, mit Brecheisen.

KENNEDY. Was macht Ihr, Sir? Welch neue Dreistigkeit!
  *Zurück von diesem Schrank!

PAULET.   Wo kam der Schmuck her?
  Vom obern Stock ward er herabgeworfen,
  Der Gärtner hat bestochen werden sollen
  Mit diesem Schmuck — Fluch über Weiberlist!   5
  Trotz meiner Aufsicht, meinem scharfen Suchen,
  Noch Kostbarkeiten, noch geheime Schätze!

      (sich über den Schrank machend)

  Wo das gesteckt hat, liegt noch mehr!

KENNEDY.   Zurück, Verwegner!
  Hier liegen die Geheimnisse der Lady.

PAULET. Die eben such ich *(Schriften hervorziehend).*

KENNEDY.   Unbedeutende   10
  Papiere, bloße Übungen der Feder,
  Des Kerkers traurge Weile zu verkürzen.

PAULET. In müßger Weile schafft der böse Geist.

KENNEDY. Es sind französische Schriften.

PAULET.   Desto schlimmer!
  Die Sprache redet Englands Feind.

KENNEDY.   Konzepte   15
  Von Briefen an die Königin von England.

PAULET. Die überliefr' ich — Sieh! Was schimmert hier?

  *(*Er hat einen geheimen Ressort geöffnet, und zieht aus einem
    verborgnen Fach Geschmeide hervor.)*

3

Ein königliches Stirnband, reich an Steinen,
*Durchzogen mit den Lilien von Frankreich!

(*Er gibt es seinem Begleiter.*)

Verwahrts, Drury. Legts zu dem Übrigen! 20

(*Drury geht ab.*)

KENNEDY. O schimpfliche Gewalt, die wir erleiden!

PAULET. So lang sie noch besitzt, kann sie noch schaden,
*Denn alles wird Gewehr in ihrer Hand.

KENNEDY. Seid gütig, Sir. Nehmt nicht den letzten Schmuck
Aus unserm Leben weg! Die Jammervolle 25
Erfreut der Anblick alter Herrlichkeit,
Denn alles andre habt Ihr uns entrissen.

PAULET. Es liegt in guter Hand. Gewissenhaft
Wird es zu seiner Zeit zurück gegeben!

KENNEDY. Wer sieht es diesen kahlen Wänden an, 30
Daß eine Königin hier wohnt? Wo ist
*Die Himmeldecke über ihrem Sitz?
Muß sie den zärtlich weichgewöhnten Fuß
Nicht auf gemeinen rauhen Boden setzen?
Mit grobem Zinn, die schlechtste Edelfrau 35
Würd es verschmähn, bedient man ihre Tafel.

PAULET. *So speiste sie zu Sterlyn ihren Gatten,
*Da sie aus Gold mit ihrem Buhlen trank.

KENNEDY. Sogar des Spiegels kleine Notdurft mangelt.

PAULET. So lang sie noch ihr eitles Bild beschaut, 40
Hört sie nicht auf, zu hoffen und zu wagen.

KENNEDY. An Büchern fehlts, den Geist zu unterhalten.

PAULET. Die Bibel ließ man ihr, das Herz zu bessern.

KENNEDY. Selbst ihre Laute ward ihr weggenommen.

PAULET. Weil sie verbuhlte Lieder drauf gespielt. 45

KENNEDY. Ist das ein Schicksal für die Weicherzogne,
Die in der Wiege Königin schon war,
*Am üppgen Hof der Mediceerin
In jeder Freuden Fülle aufgewachsen.
Es sei genug, daß man die Macht ihr nahm, 50
*Muß man die armen Flitter ihr mißgönnen?

In großes Unglück lehrt ein edles Herz
Sich endlich finden, aber wehe tuts,
Des Lebens kleine Zierden zu entbehren.
PAULET. Sie wenden nur das Herz dem Eiteln zu,   55
Das in sich gehen und bereuen soll.
Ein üppig lastervolles Leben büßt sich
In Mangel und Erniedrigung allein.
KENNEDY. Wenn ihre zarte Jugend sich verging,
*Mag sies mit Gott abtun und ihrem Herzen,   60
In England ist kein Richter über sie.
PAULET. *Sie wird gerichtet, wo sie frevelte.
KENNEDY. Zum Freveln fesseln sie zu enge Bande.
PAULET. Doch wußte sie aus diesen engen Banden
Den Arm zu strecken in die Welt, die Fackel   65
Des Bürgerkrieges in das Reich zu schleudern,
Und gegen unsre Königin, die Gott
Erhalte! Meuchelrotten zu bewaffnen.
*Erregte sie aus diesen Mauern nicht
Den Böswicht Parry und den Babington   70
Zu der verfluchten Tat des Königsmords?
Hielt dieses Eisengitter sie zurück,
Das edle Herz des Norfolk zu umstricken?
Für sie geopfert fiel das beste Haupt
Auf dieser Insel unterm Henkerbeil —   75
Und schreckte dieses jammervolle Beispiel
Die Rasenden zurück, die sich wetteifernd
Um ihrentwillen in den Abgrund stürzen?
*Die Blutgerüste füllen sich für sie
Mit immer neuen Todesopfern an,   80
Und das wird nimmer enden, bis sie selbst,
Die Schuldigste, darauf geopfert ist.
— O Fluch dem Tag, da dieses Landes Küste
*Gastfreundlich diese Helena empfing.
KENNEDY. Gastfreundlich hätte England sie empfangen?   85
Die Unglückselige, die seit dem Tag,
Da sie den Fuß gesetzt in dieses Land,
Als eine Hilfeflehende, Vertriebne

Bei der Verwandten Schutz zu suchen kam,
Sich wider Völkerrecht und Königswürde   90
Gefangen sieht, in enger Kerkerhaft
Der Jugend schöne Jahre muß vertrauern. —
Die jetzt, nachdem sie alles hat erfahren,
Was das Gefängnis Bittres hat, gemeinen
Verbrechern gleich, vor des Gerichtes Schranken   95
*Gefodert wird und schimpflich angeklagt
Auf Leib und Leben — eine Königin!
PAULET.   Sie kam ins Land als eine Mörderin,
Verjagt von ihrem Volk, des Throns entsetzt,
Den sie mit schwerer Greueltat geschändet.   100
Verschworen kam sie gegen Englands Glück,
*Der spanischen Maria blutge Zeiten
Zurück zu bringen, Engelland katholisch
Zu machen, an den Franzmann zu verraten.
*Warum verschmähte sies, den Edinburger   105
Vertrag zu unterschreiben, ihren Anspruch
An England aufzugeben, und den Weg
Aus diesem Kerker schnell sich aufzutun
Mit einem Federstrich? Sie wollte lieber
Gefangen bleiben, sich mißhandelt sehn,   110
Als dieses Titels leerem Prunk entsagen.
Weswegen tat sie das? Weil sie den Ränken
Vertraut, den bösen Künsten der Verschwörung,
Und unheilspinnend diese ganze Insel
Aus ihrem Kerker zu erobern hofft.   115
KENNEDY.   Ihr spottet, Sir — Zur Härte fügt Ihr noch
Den bittern Hohn! Sie hegte solche Träume,
Die hier lebendig eingemauert lebt,
Zu der kein Schall des Trostes, keine Stimme
Der Freundschaft aus der lieben Heimat dringt,   120
Die längst kein Menschenangesicht mehr schaute,
Als ihrer Kerkermeister finstre Stirn,
Die erst seit kurzem einen neuen Wächter
*Erhielt in Eurem rauhen Anverwandten,
Von neuen Stäben sich umgittert sieht —   125

PAULET. Kein Eisengitter schützt vor ihrer List.
 Weiß ich, ob diese Stäbe nicht durchfeilt,
 Nicht dieses Zimmers Boden, diese Wände,
 Von außen fest, nicht hohl von innen sind,
 Und den Verrat einlassen, wenn ich schlafe?   130
 *Fluchvolles Amt, das mir geworden ist,
 Die unheilbrütend Listige zu hüten.
 Vom Schlummer jagt die Furcht mich auf, ich gehe
 Nachts um, wie ein gequälter Geist, erprobe
 Des Schlosses Riegel und der Wächter Treu,   135
 Und sehe zitternd jeden Morgen kommen,
 Der meine Furcht wahr machen kann. Doch wohl mir!
 Wohl! Es ist Hoffnung, daß es bald nun endet.
 Denn lieber möcht ich der Verdammten Schar
 Wachstehend an der Höllenpforte hüten,   140
 Als diese ränkevolle Königin.
KENNEDY. Da kommt sie selbst!
PAULET.   Den Christus in der Hand,
 Die Hoffart und die Weltlust in dem Herzen.

Zweiter Auftritt

MARIA *im Schleier, ein Kruzifix in der Hand.*
DIE VORIGEN

KENNEDY *(ihr entgegen eilend)*. O Königin! Man tritt uns ganz
 mit Füßen,
 Der Tyrannei, der Härte wird kein Ziel,   145
 Und jeder neue Tag häuft neue Leiden
 Und Schmach auf dein gekröntes Haupt.
MARIA.   Faß dich!
 Sag an, was neu geschehen ist?
KENNEDY.   Sieh her!
 Dein Pult ist aufgebrochen, deine Schriften,
 Dein einzger Schatz, den wir mit Müh gerettet,   150

*Der letzte Rest von deinem Brautgeschmeide
Aus Frankreich ist in seiner Hand. Du hast nun
Nichts Königliches mehr, bist ganz beraubt.
MARIA. *Beruhige dich, Hanna. Diese Flitter machen
Die Königin nicht aus. Man kann uns niedrig   155
Behandeln, nicht erniedrigen. Ich habe
In England mich an viel gewöhnen lernen,
Ich kann auch das verschmerzen. Sir, Ihr habt Euch
Gewaltsam zugeeignet, was ich Euch
Noch heut zu übergeben willens war.   160
Bei diesen Schriften findet sich ein Brief,
Bestimmt für meine königliche Schwester
Von England — Gebt mir Euer Wort, daß Ihr
Ihn redlich an sie selbst wollt übergeben,
Und nicht in Burleighs ungetreue Hand.   165
PAULET.   Ich werde mich bedenken, was zu tun ist.
MARIA.   Ihr sollt den Inhalt wissen, Sir. Ich bitte
In diesem Brief um eine große Gunst —
— Um eine Unterredung mit ihr selbst,
Die ich mit Augen nie gesehn — Man hat mich   170
*Vor ein Gericht von Männern vorgefodert,
Die ich als meines Gleichen nicht erkennen,
*Zu denen ich kein Herz mir fassen kann.
Elisabeth ist meines Stammes, meines
Geschlechts und Ranges — Ihr allein, der Schwester,   175
Der Königin, der Frau kann ich mich öffnen.
PAULET.   Sehr oft, Mylady, habt Ihr Euer Schicksal
Und Eure Ehre Männern anvertraut,
Die Eurer Achtung minder würdig waren.
MARIA.   Ich bitte noch um eine zweite Gunst,   180
Unmenschlichkeit allein kann mir sie weigern.
Schon lange Zeit entbehr ich im Gefängnis
Der Kirche Trost, der Sakramente Wohltat,
Und die mir Kron und Freiheit hat geraubt,
Die meinem Leben selber droht, wird mir   185
Die Himmelstüre nicht verschließen wollen.
PAULET.   Auf Euren Wunsch wird der Dechant des Orts —

MARIA (*unterbricht ihn lebhaft*). Ich will nichts vom Dechanten.
   Einen Priester
 *Von meiner eignen Kirche fodre ich.
   — Auch Schreiber und Notarien verlang ich,   190
   Um meinen letzten Willen aufzusetzen.
   Der Gram, das lange Kerkerelend nagt
   An meinem Leben. Meine Tage sind
   Gezählt, befürcht ich, und ich achte mich
   Gleich einer Sterbenden.
PAULET.   Da tut Ihr wohl,   195
   Das sind Betrachtungen, die Euch geziemen.
MARIA. Und weiß ich, ob nicht eine schnelle Hand
   Des Kummers langsames Geschäft beschleunigt?
   Ich will mein Testament aufsetzen, will
   Verfügung treffen über das, was mein ist.   200
PAULET. Die Freiheit habt Ihr. Englands Königin
   Will sich mit Eurem Raube nicht bereichern.
MARIA. Man hat von meinen treuen Kammerfrauen,
   Von meinen Dienern mich getrennt — Wo sind sie?
   Was ist ihr Schicksal? Ihrer Dienste kann ich   205
 *Entraten, doch beruhigt will ich sein,
   Daß die Getreun nicht leiden und entbehren.
PAULET. Für Eure Diener ist gesorgt. (*Er will gehen.*)
MARIA. Ihr geht, Sir? Ihr verlaßt mich abermals,
   Und ohne mein geängstigt fürchtend Herz   210
 *Der Qual der Ungewißheit zu entladen.
   Ich bin, dank Eurer Späher Wachsamkeit,
   Von aller Welt geschieden, keine Kunde
   Gelangt zu mir durch diese Kerkermauern,   215
 *Mein Schicksal liegt in meiner Feinde Hand.
   Ein peinlich langer Monat ist vorüber,
   Seitdem die vierzig Kommissarien
   In diesem Schloß mich überfallen, Schranken
   Errichtet, schnell, mit unanständiger Eile,
 *Mich unbereitet, ohne Anwalts Hülfe,   220
   Vor ein noch nie erhört Gericht gestellt,
   Auf schlaugefaßte schwere Klagepunkte

Mich, die Betäubte, Überraschte, flugs
Aus dem Gedächtnis Rede stehen lassen —
Wie Geister kamen sie und schwanden wieder.   225
Seit diesem Tage schweigt mir jeder Mund,
Ich such umsonst in Eurem Blick zu lesen,
Ob meine Unschuld, meiner Freunde Eifer,
Ob meiner Feinde böser Rat gesiegt.
Brecht endlich Euer Schweigen — laßt mich wissen,   230
Was ich zu fürchten, was zu hoffen habe.

PAULET (*nach einer Pause*).   Schließt Eure Rechnung mit dem
    Himmel ab.

MARIA.   Ich hoff auf seine Gnade, Sir — und hoffe
Auf strenges Recht von meinen irdschen Richtern.

PAULET.   Recht soll Euch werden. Zweifelt nicht daran.   235

MARIA.   Ist mein Prozeß entschieden, Sir?

PAULET.   Ich weiß nicht.

MARIA.   Bin ich verurteilt?

PAULET.   Ich weiß nichts, Mylady.

MARIA.   Man liebt hier rasch zu Werk zu gehn. Soll mich
Der Mörder überfallen wie die Richter?

PAULET.   Denkt immerhin, es sei so, und er wird Euch   240
In beßrer Fassung dann als diese finden.

MARIA.   Nichts soll mich in Erstaunen setzen, Sir,
Was ein Gerichtshof in Westminsterhall,
 *Den Burleighs Haß und Hattons Eifer lenkt,
 *Zu urteln sich erdreiste — Weiß ich doch,   245
Was Englands Königin wagen darf zu tun.

PAULET.   Englands Beherrscher brauchen nichts zu scheuen,
Als ihr Gewissen und ihr Parlament.
Was die Gerechtigkeit gesprochen, furchtlos,
Vor aller Welt wird es die Macht vollziehn.   250

Dritter Auftritt

*DIE VORIGEN. MORTIMER, *Paulets Neffe, tritt herein und
ohne der Königin einige Aufmerksamkeit zu bezeugen, zu Paulet.*

MORTIMER.   Man sucht Euch, Oheim.

(*Er entfernt sich auf eben die Weise. Die Königin bemerkt es mit
Unwillen und wendet sich zu Paulet, der ihm folgen will.*)

MARIA.   Sir, noch eine Bitte.
   Wenn Ihr mir was zu sagen habt — von Euch
   Ertrag ich viel, ich ehre Euer Alter.
   Den Übermut des Jünglings trag ich nicht,
   Spart mir den Anblick seiner rohen Sitten.   255
PAULET.   Was ihn Euch widrig macht, macht mir ihn wert.
   Wohl ist es keiner von den weichen Toren,
 *Die eine falsche Weiberträne schmelzt —
   Er ist gereist, kommt aus Paris und Reims,
   Und bringt sein treu altenglisch Herz zurück,   260
   Lady, an dem ist Eure Kunst verloren! (*Geht ab*).

Vierter Auftritt

MARIA. KENNEDY.

KENNEDY.   Darf Euch der Rohe das ins Antlitz sagen!
   O es ist hart!
MARIA (*in Nachdenken verloren*).   Wir haben in den Tagen
     unsers Glanzes
   Dem Schmeichler ein zu willig Ohr geliehn,   265
   Gerecht ists, gute Kennedy, daß wir
   Des Vorwurfs ernste Stimme nun vernehmen.
KENNEDY.   Wie? so gebeugt, so mutlos, teure Lady?
   Wart Ihr doch sonst so froh, Ihr pflegtet mich zu trösten,
 *Und eher mußt ich Euren Flattersinn   270
   Als Eure Schwermut schelten.
MARIA.   Ich erkenn ihn.
   Es ist der blutge Schatten König Darnleys,
   Der zürnend aus dem Gruftgewölbe steigt,
   Und er wird nimmer Friede mit mir machen,
   Bis meines Unglücks Maß erfüllet ist.   275
KENNEDY.   Was für Gedanken —

MARIA.   Du vergissest, Hanna —
  Ich aber habe ein getreu Gedächtnis —
  *Der Jahrstag dieser unglückseligen Tat
  Ist heute abermals zurückgekehrt,
  Er ists, den ich mit Buß und Fasten feire.   280
KENNEDY.   Schickt endlich diesen bösen Geist zur Ruh.
  Ihr habt die Tat mit jahrelanger Reu,
  Mit schweren Leidensproben abgebüßt.
  *Die Kirche, die den Löseschlüssel hat
  Für jede Schuld, der Himmel hat vergeben.   285
MARIA.   Frischblutend steigt die längst vergebne Schuld
  Aus ihrem leichtbedeckten Grab empor!
  *Des Gatten rachefoderndes Gespenst
  Schickt keines Messedieners Glocke, kein
  Hochwürdiges in Priesters Hand zur Gruft.   290
KENNEDY.   Nicht Ihr habt ihn gemordet! Andre tatens!
MARIA.   Ich wußte drum. Ich ließ die Tat geschehn,
  Und lockt ihn schmeichelnd in das Todesnetz.
KENNEDY.   Die Jugend mildert Eure Schuld. Ihr wart
  So zarten Alters noch.
MARIA.   So zart, und lud   295
  Die schwere Schuld auf mein so junges Leben.
KENNEDY.   Ihr wart durch blutige Beleidigung
  Gereizt und durch des Mannes Übermut,
  Den Eure Liebe aus der Dunkelheit
  Wie eine Götterhand hervorgezogen,   300
  Den Ihr durch Euer Brautgemach zum Throne
  Geführt, mit Eurer blühenden Person
  Beglückt und Eurer angestammten Krone.
  Konnt er vergessen, daß sein prangend Los
  Der Liebe großmutsvolle Schöpfung war?   305
  Und doch vergaß ers, der Unwürdige!
  Beleidigte mit niedrigem Verdacht,
  Mit rohen Sitten Eure Zärtlichkeit,
  Und widerwärtig wurd er Euren Augen.
  Der Zauber schwand, der Euren Blick getäuscht,   310
  Ihr floht erzürnt des Schändlichen Umarmung

Und gabt ihn der Verachtung preis — Und er —
Versucht' ers, Eure Gunst zurück zu rufen?
Bat er um Gnade? Warf er sich bereuend
Zu Euren Füßen, Besserung versprechend?   315
Trotz bot Euch der Abscheuliche — Der Euer
Geschöpf war, Euren König wollt er spielen,
*Vor Euren Augen ließ er Euch den Liebling,
Den schönen Sänger Rizzio durchbohren —
Ihr rächtet blutig nur die blutge Tat.   320

MARIA.   Und blutig wird sie auch an mir sich rächen,
Du sprichst mein Urteil aus, da du mich tröstest.

KENNEDY.   Da Ihr die Tat geschehn ließt, wart Ihr nicht
Ihr selbst, gehörtet Euch nicht selbst. Ergriffen
Hatt Euch der Wahnsinn blinder Liebesglut,   325
Euch unterjocht dem furchtbaren Verführer,
Dem unglückselgen Bothwell — Über Euch
Mit übermütgem Männerwillen herrschte
*Der Schreckliche, der Euch durch Zaubertränke,
Durch Höllenkünste das Gemüt verwirrend   330
Erhitzte —

MARIA.   Seine Künste waren keine andre,
Als seine Männerkraft und meine Schwachheit.

KENNEDY.   Nein, sag ich. Alle Geister der Verdammnis
Mußt er zu Hülfe rufen, der dies Band
Um Eure hellen Sinne wob. Ihr hattet   335
Kein Ohr mehr für der Freundin Warnungsstimme,
Kein Aug für das, was wohlanständig war.
Verlassen hatte Euch die zarte Scheu
Der Menschen, Eure Wangen, sonst der Sitz
Schamhaft errötender Bescheidenheit,   340
Sie glühten nur vom Feuer des Verlangens.
Ihr warft den Schleier des Geheimnisses
Von Euch, des Mannes keckes Laster hatte
Auch Eure Blödigkeit besiegt, Ihr stelltet
Mit dreister Stirne Eure Schmach zur Schau.   345
*Ihr ließt das königliche Schwert von Schottland
Durch ihn, den Mörder, dem des Volkes Flüche

c

Nachschallten, durch die Gassen Edinburgs,
Vor Euch hertragen im Triumph, umringtet
Mit Waffen Euer Parlament, und hier,   350
Im eignen Tempel der Gerechtigkeit,
*Zwangt Ihr mit frechem Possenspiel die Richter,
Den Schuldigen des Mordes loszusprechen —
Ihr gingt noch weiter — Gott!
MARIA.   Vollende nur!
*Und reicht ihm meine Hand vor dem Altare!   355
KENNEDY.   O laßt ein ewig Schweigen diese Tat
Bedecken! Sie ist schauderhaft, empörend,
Ist einer ganz Verlornen wert — Doch Ihr seid keine
Verlorne — ich kenn Euch ja, ich bins,
Die Eure Kindheit auferzogen. Weich   360
Ist Euer Herz gebildet, offen ists
Der Scham — der Leichtsinn nur ist Euer Laster.
Ich wiederhol es, es gibt böse Geister,
Die in des Menschen unverwahrter Brust
Sich augenblicklich ihren Wohnplatz nehmen,   365
Die schnell in uns das Schreckliche begehn
Und zu der Höll entfliehend das Entsetzen
In dem befleckten Busen hinterlassen.
*Seit dieser Tat, die Euer Leben schwärzt,
Habt Ihr nichts Lasterhaftes mehr begangen,   370
Ich bin ein Zeuge Eurer Besserung.
Drum fasset Mut! Macht Friede mit Euch selbst!
Was Ihr auch zu bereuen habt, in England
Seid Ihr nicht schuldig, nicht Elisabeth,
Nicht Englands Parlament ist Euer Richter.   375
Macht ists, die Euch hier unterdrückt, vor diesen
*Anmaßlichen Gerichtshof dürft Ihr Euch
Hinstellen mit dem ganzen Mut der Unschuld.
MARIA.   Wer kommt?

                (*Mortimer zeigt sich an der Türe.*)

KENNEDY.   Es ist der Neffe. Geht hinein.

Fünfter Auftritt

DIE VORIGEN. MORTIMER *scheu hereintretend.*

MORTIMER (*zur Amme*). Entfernt Euch, haltet Wache vor der
   Tür,   380
Ich habe mit der Königin zu reden.
MARIA (*mit Ansehn*). Hanna, du bleibst.
MORTIMER. Habt keine Furcht, Mylady. Lernt mich kennen.

    (*Er überreicht ihr eine Karte.*)

MARIA (*sieht sie an und fährt bestürzt zurück*). Ha! Was ist das?
MORTIMER (*zur Amme*).

                   Geht, Dame Kennedy.
*Sorgt, daß mein Oheim uns nicht überfalle!   385
MARIA (*zur Amme, welche zaudert und die Königin fragend
    ansieht*). Geh! Geh! Tu was er sagt.

    (*Die Amme entfernt sich mit Zeichen der Verwunderung.*)

Sechster Auftritt

MORTIMER. MARIA

MARIA.   *Von meinem Oheim!
Dem Kardinal von Lothringen aus Frankreich!

    (*Liest.*)

'Traut dem Sir Mortimer, der Euch dies bringt,
Denn keinen treuern Freund habt Ihr in England.'

    (*Mortimern mit Erstaunen ansehend.*)

*Ists möglich? Ists kein Blendwerk, das mich täuscht?   390
So nahe find ich einen Freund und wähnte mich
Verlassen schon von aller Welt — find ihn
In Euch, dem Neffen meines Kerkermeisters,
In dem ich meinen schlimmsten Feind —
MORTIMER (*sich ihr zu Füßen werfend*).   Verzeihung
Für diese verhaßte Larve, Königin,   395

Die mir zu tragen Kampf genug gekostet,
Doch der ichs danke, daß ich mich Euch nahen,
Euch Hülfe und Errettung bringen kann.

MARIA.   Steht auf — Ihr überrascht mich, Sir — Ich kann
So schnell nicht aus der Tiefe meines Elends   400
Zur Hoffnung übergehen — Redet, Sir —
Macht mir dies Glück begreiflich, daß ichs glaube.

MORTIMER (*steht auf*).   Die Zeit verrinnt. Bald wird mein
Oheim hier sein,
Und ein verhaßter Mensch begleitet ihn.
Eh Euch ihr Schreckensauftrag überrascht,   405
Hört an, wie Euch der Himmel Rettung schickt.

MARIA.   Er schickt sie durch ein Wunder seiner Allmacht!

MORTIMER.   Erlaubt, daß ich von mir beginne.

MARIA.   Redet, Sir!

MORTIMER.   *Ich zählte zwanzig Jahre, Königin,
In strengen Pflichten war ich aufgewachsen,   410
In finsterm Haß des Papsttums aufgesäugt,
Als mich die unbezwingliche Begierde
Hinaus trieb auf das feste Land. Ich ließ
*Der Puritaner dumpfe Predigtstuben,
Die Heimat hinter mir, in schnellem Lauf   415
Durchzog ich Frankreich, das gepriesene
Italien mit heißem Wunsche suchend.

Es war die Zeit des großen Kirchenfests,
Von Pilgerscharen wimmelten die Wege,
Bekränzt war jedes Gottesbild, es war,   420
Als ob die Menschheit auf der Wandrung wäre,
Wallfahrend nach dem Himmelreich — Mich selbst
Ergriff der Strom der glaubenvollen Menge,
*Und riß mich in das Weichbild Roms —

Wie ward mir, Königin!   425
Als mir der Säulen Pracht und Siegesbogen
Entgegenstieg, des Kolosseums Herrlichkeit
*Den Staunenden umfing, ein hoher Bildnergeist

In seine heitre Wunderwelt mich schloß!
Ich hatte nie der Künste Macht gefühlt,   430
Es haßt die Kirche, die mich auferzog,
Der Sinne Reiz, kein Abbild duldet sie,
Allein das körperlose Wort verehrend.
Wie wurde mir, als ich ins Innre nun
Der Kirchen trat, und die Musik der Himmel   435
Herunterstieg, und der Gestalten Fülle
Verschwenderisch aus Wand und Decke quoll,
Das Herrlichste und Höchste, gegenwärtig,
Vor den entzückten Sinnen sich bewegte,
Als ich sie selbst nun sah, die Göttlichen,   440
Den Gruß des Engels, die Geburt des Herrn,
Die heilge Mutter, die herabgestiegne
Dreifaltigkeit, die leuchtende Verklärung —
Als ich den Papst drauf sah in seiner Pracht
Das Hochamt halten und die Völker segnen.   445
O was ist Goldes, was Juwelen Schein,
Womit der Erde Könige sich schmücken!
Nur Er ist mit dem Göttlichen umgeben.
Ein wahrhaft Reich der Himmel ist sein Haus,
Denn nicht von dieser Welt sind diese Formen.   450
MARIA.   O schonet mein! Nicht weiter. Höret auf,
Den frischen Lebensteppich vor mir aus
Zu breiten — Ich bin elend und gefangen.
MORTIMER.   Auch ich wars, Königin! und mein Gefängnis
Sprang auf und frei auf einmal fühlte sich   455
Der Geist, des Lebens schönen Tag begrüßend.
Haß schwur ich nun dem engen dumpfen Buch,
Mit frischem Kranz die Schläfe mir zu schmücken,
Mich fröhlich an die Fröhlichen zu schließen.
Viel edle Schotten drängten sich an mich   460
Und der Franzosen muntre Landsmannschaften.
Sie brachten mich zu Eurem edeln Oheim,
Dem Kardinal von Guise — Welch ein Mann!
Wie sicher, klar und männlich groß! — Wie ganz
Geboren, um die Geister zu regieren!   465

    Das Muster eines königlichen Priesters,
    Ein Fürst der Kirche, wie ich keinen sah!
MARIA. Ihr habt sein teures Angesicht gesehn,
    Des vielgeliebten, des erhabnen Mannes,
    Der meiner zarten Jugend Führer war.   470
    O redet mir von ihm. Denkt er noch mein?
    Liebt ihn das Glück, blüht ihm das Leben noch,
    Steht er noch herrlich da, ein Fels der Kirche?
MORTIMER. Der Treffliche ließ selber sich herab,
    Die hohen Glaubenslehren mir zu deuten,   475
    Und meines Herzens Zweifel zu zerstreun.
    Er zeigte mir, daß grübelnde Vernunft
    Den Menschen ewig in der Irre leitet,
    Daß seine Augen sehen müssen, was
    Das Herz soll glauben, daß ein sichtbar Haupt   480
    Der Kirche not tut, daß der Geist der Wahrheit
    Geruht hat auf den Sitzungen der Väter.
    Die Wahnbegriffe meiner kindschen Seele,
    Wie schwanden sie vor seinem siegenden
 *Verstand und vor der Suada seines Mundes!   485
    Ich kehrte in der Kirche Schoß zurück,
    Schwur meinen Irrtum ab in seine Hände.
MARIA. So seid Ihr einer jener Tausende,
    Die er mit seiner Rede Himmelskraft
    Wie der erhabne Prediger des Berges   490
    Ergriffen und zum ewgen Heil geführt!
MORTIMER. Als ihn des Amtes Pflichten bald darauf
 *Nach Frankreich riefen, sandt er mich nach Reims,
    Wo die Gesellschaft Jesu, fromm geschäftig,
    Für Englands Kirche Priester auferzieht.   495
 *Den edeln Schotten Morgan fand ich hier,
    Auch Euren treuen Leßley, den gelehrten
    Bischof von Roße, die auf Frankreichs Boden
    Freudlose Tage der Verbannung leben —
    Eng schloß ich mich an diese Würdigen,   500
    Und stärkte mich im Glauben — Eines Tags,
    Als ich mich umsah in des Bischofs Wohnung,

Fiel mir ein weiblich Bildnis in die Augen,
Von rührend wundersamem Reiz, gewaltig
Ergriff es mich in meiner tiefsten Seele,   505
Und des Gefühls nicht mächtig stand ich da.
Da sagte mir der Bischof: Wohl mit Recht
Mögt Ihr gerührt bei diesem Bilde weilen.
Die schönste aller Frauen, welche leben,
Ist auch die jammernswürdigste von allen,   510
Um unsers Glaubens willen duldet sie,
Und Euer Vaterland ists, wo sie leidet.

MARIA. Der Redliche! Nein, ich verlor nicht alles,
Da solcher Freund im Unglück mir geblieben.

MORTIMER. Drauf fing er an, mit herzerschütternder   515
Beredsamkeit mir Euer Märtyrtum
Und Eurer Feinde Blutgier abzuschildern.
*Auch Euern Stammbaum wies er mir, er zeigte
Mir Eure Abkunft von dem hohen Hause
Der Tudor, überzeugte mich, daß Euch   520
Allein gebührt in Engelland zu herrschen,
*Nicht dieser Afterkönigin, gezeugt
In ehebrecherischem Bett, die Heinrich,
Ihr Vater, selbst verwarf als Bastardtochter.
Nicht seinem einzgen Zeugnis wollt ich traun,   525
Ich holte Rat bei allen Rechtsgelehrten,
Viel alte Wappenbücher schlug ich nach,
Und alle Kundige, die ich befragte,
Bestätigten mir Eures Anspruchs Kraft.
Ich weiß nunmehr, daß Euer gutes Recht   530
An England Euer ganzes Unrecht ist,
Daß Euch dies Reich als Eigentum gehört,
Worin Ihr schuldlos als Gefangne schmachtet.

MARIA. O dieses unglücksvolle Recht! Es ist
Die einzge Quelle aller meiner Leiden.   535

MORTIMER. Um diese Zeit kam mir die Kunde zu,
Daß Ihr aus Talbots Schloß hinweggeführt,
Und meinem Oheim übergeben worden —
Des Himmels wundervolle Rettungshand

Glaubt ich in dieser Fügung zu erkennen,   540
Ein lauter Ruf des Schicksals war sie mir,
Das meinen Arm gewählt, Euch zu befreien.
Die Freunde stimmen freudig bei, es gibt
Der Kardinal mir seinen Rat und Segen,
Und lehrt mich der Verstellung schwere Kunst.   545
Schnell ward der Plan entworfen, und ich trete
Den Rückweg an ins Vaterland, wo ich,
Ihr wißts, vor zehen Tagen bin gelandet.

(Er hält inne.)

Ich sah Euch, Königin — Euch selbst!
Nicht Euer Bild! — O welchen Schatz bewahrt   550
Dies Schloß! Kein Kerker! Eine Götterhalle,
Glanzvoller als der königliche Hof
*Von England — O des Glücklichen, dem es
Vergönnt ist, eine Luft mit Euch zu atmen!

Wohl hat sie Recht, die Euch so tief verbirgt!   555
Aufstehen würde Englands ganze Jugend,
Kein Schwert in seiner Scheide müßig bleiben,
Und die Empörung mit gigantischem Haupt
Durch diese Friedensinsel schreiten, sähe
Der Brite seine Königin!
MARIA.   Wohl ihr!   560
    Säh jeder Brite sie mit Euren Augen!
MORTIMER.   Wär er, wie ich, ein Zeuge Eurer Leiden,
Der Sanftmut Zeuge und der edlen Fassung,
Womit Ihr das Unwürdige erduldet.
Denn geht Ihr nicht aus allen Leidensproben   565
Als eine Königin hervor? Raubt Euch
Des Kerkers Schmach von Eurem Schönheitsglanze?
Euch mangelt alles, was das Leben schmückt,
Und doch umfließt Euch ewig Licht und Leben.
Nie setz ich meinen Fuß auf diese Schwelle,   570
Daß nicht mein Herz zerrissen wird von Qualen,
Nicht von der Lust entzückt, Euch anzuschauen! —

Doch furchtbar naht sich die Entscheidung, wachsend
Mit jeder Stunde dringet die Gefahr,
Ich darf nicht länger säumen — Euch nicht länger   575
Das Schreckliche verbergen —
MARIA.   Ist mein Urteil
Gefällt? Entdeckt mirs frei. Ich kann es hören.
MORTIMER. *Es ist gefällt. Die zwei und vierzig Richter haben
Ihr Schuldig ausgesprochen über Euch. Das Haus
Der Lords und der Gemeinen, die Stadt London   580
Bestehen heftig dringend auf des Urteils
Vollstreckung, nur die Königin säumt noch,
— Aus arger List, daß man sie nötige,
Nicht aus Gefühl der Menschlichkeit und Schonung.
MARIA (*mit Fassung*). Sir Mortimer, Ihr überrascht mich
    nicht,   585
Erschreckt mich nicht. Auf solche Botschaft war ich
Schon längst gefaßt. Ich kenne meine Richter.
Nach den Mißhandlungen, die ich erlitten,
Begreif ich wohl, daß man die Freiheit mir
*Nicht schenken kann — Ich weiß, wo man hinaus will. 590
In ewgem Kerker will man mich bewahren,
Und meine Rache, meinen Rechtsanspruch
Mit mir verscharren in Gefängnisnacht.
MORTIMER. Nein, Königin — o nein! nein! Dabei steht man
Nicht still. Die Tyrannei begnügt sich nicht,   595
Ihr Werk nur halb zu tun. So lang Ihr lebt,
Lebt auch die Furcht der Königin von England.
Euch kann kein Kerker tief genug begraben,
Nur Euer Tod versichert ihren Thron.
MARIA. Sie könnt es wagen, mein gekröntes Haupt   600
Schmachvoll auf einen Henkerblock zu legen?
MORTIMER. Sie wird es wagen. Zweifelt nicht daran.
MARIA. Sie könnte so die eigne Majestät
Und aller Könige im Staube wälzen?
Und fürchtet sie die Rache Frankreichs nicht?   605
MORTIMER. Sie schließt mit Frankreich einen ewgen Frieden,
*Dem Duc von Anjou schenkt sie Thron und Hand.

MARIA.   Wird sich der König Spaniens nicht waffnen?
MORTIMER.   Nicht eine Welt in Waffen fürchtet sie,
  So lang sie Frieden hat mit ihrem Volke.   610
MARIA.   Den Briten wollte sie dies Schauspiel geben?
MORTIMER.   Dies Land, Mylady, hat in letzten Zeiten
  Der königlichen Frauen mehr vom Thron
  Herab aufs Blutgerüste steigen sehn.
  *Die eigne Mutter der Elisabeth   615
  Ging diesen Weg, und Katharina Howard,
  Auch Lady Gray war ein gekröntes Haupt.
MARIA (*nach einer Pause*).   Nein, Mortimer! Euch blendet eitle
  Furcht.
  Es ist die Sorge Eures treuen Herzens,
  Die Euch vergebne Schrecknisse erschafft.   620
  Nicht das Schafott ists, das ich fürchte, Sir.
  Es gibt noch andre Mittel, stillere,
  Wodurch sich die Beherrscherin von England
  Vor meinem Anspruch Ruhe schaffen kann.
  Eh sich ein Henker für mich findet, wird   625
  Noch eher sich ein Mörder dingen lassen.
  — Das ists, wovor ich zittre, Sir! und nie
  Setz ich des Bechers Rand an meine Lippen,
  Daß nicht ein Schauder mich ergreift, er könnte
  *Kredenzt sein von der Liebe meiner Schwester.   630
MORTIMER.   Nicht offenbar noch heimlich solls dem Mord
  Gelingen, Euer Leben anzutasten.
  Seid ohne Furcht! Bereitet ist schon alles,
  Zwölf edle Jünglinge des Landes sind
  In meinem Bündnis, haben heute früh   635
  Das Sakrament darauf empfangen, Euch
  Mit starkem Arm aus diesem Schloß zu führen.
  Graf Aubespine, der Abgesandte Frankreichs,
  Weiß um den Bund, er bietet selbst die Hände,
  Und sein Palast ists, wo wir uns versammeln.   640
MARIA.   Ihr macht mich zittern, Sir — doch nicht für
  Freude.
  Mir fliegt ein böses Ahnden durch das Herz.

Was unternehmt ihr? Wißt ihrs? Schrecken euch
*Nicht Babingtons, nicht Tichburns blutge Häupter,
Auf Londons Brücke warnend aufgesteckt,   645
Nicht das Verderben der Unzähligen,
Die ihren Tod in gleichem Wagstück fanden,
Und meine Ketten schwerer nur gemacht?
Unglücklicher, verführter Jüngling — flieht!
Flieht, wenns noch Zeit ist — wenn der Späher Burleigh 650
Nicht jetzt schon Kundschaft hat von euch, nicht
    schon
In eure Mitte den Verräter mischte.
Flieht aus dem Reiche schnell! Marien Stuart
Hat noch kein Glücklicher beschützt.

MORTIMER.   Mich schrecken
Nicht Babingtons, nicht Tichburns blutge Häupter,   655
Auf Londons Brücke warnend aufgesteckt,
Nicht das Verderben der unzählgen andern,
Die ihren Tod in gleichem Wagstück fanden,
Sie fanden auch darin den ewgen Ruhm,
Und Glück schon ists, für Eure Rettung sterben.   660

MARIA. Umsonst! Mich rettet nicht Gewalt, nicht List.
Der Feind ist wachsam und die Macht ist sein.
Nicht Paulet nur und seiner Wächter Schar,
Ganz England hütet meines Kerkers Tore.
Der freie Wille der Elisabeth allein   665
Kann sie mir auftun.

MORTIMER.   O das hoffet nie!

MARIA. Ein einzger Mann lebt, der sie öffnen kann.

MORTIMER. O nennt mir diesen Mann —

MARIA.   Graf Leicester.

MORTIMER (tritt erstaunt zurück).   Leicester!
Graf Leicester! — Euer blutigster Verfolger,
Der Günstling der Elisabeth — von diesem —   670

MARIA. Bin ich zu retten, ists allein durch ihn.
— Geht zu ihm. Öffnet Euch ihm frei.
Und zur Gewähr, daß ichs bin, die Euch sendet,
Bringt ihm dies Schreiben. Es enthält mein Bildnis.

*(Sie zieht ein Papier aus dem Busen, Mortimer tritt zurück und
              zögert, es anzunehmen.)*

Nehmt hin. Ich trag es lange schon bei mir,   675
Weil Eures Oheims strenge Wachsamkeit
Mir jeden Weg zu ihm gehemmt — Euch sandte
Mein guter Engel —
MORTIMER.   Königin — dies Rätsel —
Erklärt es mir —
MARIA.   Graf Leicester wirds Euch lösen.
Vertraut ihm, er wird Euch vertraun — Wer kommt?   680
KENNEDY *(eilfertig eintretend)*.   Sir Paulet naht mit einem
Herrn vom Hofe.
MORTIMER. Es ist Lord Burleigh. Faßt Euch, Königin!
Hört es mit Gleichmut an, was er Euch bringt.

(Er entfernt sich durch eine Seitentür, Kennedy folgt ihm.)

Siebenter Auftritt

MARIA. LORD BURLEIGH, *Großschatzmeister von England,*
            und RITTER PAULET.

PAULET. Ihr wünschtet heut Gewißheit Eures Schicksals,
*Gewißheit bringt Euch Seine Herrlichkeit,   685
*Mylord von Burleigh. Tragt sie mit Ergebung.
MARIA. Mit Würde, hoff ich, die der Unschuld ziemt.
BURLEIGH. Ich komme als Gesandter des Gerichts.
MARIA. Lord Burleigh leiht dienstfertig dem Gerichte,
Dem er den Geist geliehn, nun auch den Mund.   690
PAULET. Ihr sprecht, als wüßtet Ihr bereits das Urteil.
MARIA. Da es Lord Burleigh bringt, so weiß ich es.
— Zur Sache, Sir.
BURLEIGH.   Ihr habt Euch dem Gericht
Der Zweiundvierzig unterworfen, Lady —
MARIA. Verzeiht, Mylord, daß ich Euch gleich zu Anfang 695
Ins Wort muß fallen — Unterworfen hätt ich mich
Dem Richterspruch der Zweiundvierzig, sagt Ihr?

Ich habe keineswegs mich unterworfen.
Nie konnt ich das — ich konnte meinem Rang,
*Der Würde meines Volks und meines Sohnes   700
Und aller Fürsten nicht so viel vergeben.
Verordnet ist im englischen Gesetz,
Daß jeder Angeklagte durch Geschworne
Von seines Gleichen soll gerichtet werden.
*Wer in der Committee ist meines Gleichen?   705
Nur Könige sind meine Peers.

BURLEIGH.   Ihr hörtet
Die Klagartikel an, ließt Euch darüber
Vernehmen vor Gerichte —

MARIA.   Ja, ich habe mich
*Durch Hattons arge List verleiten lassen,
Bloß meiner Ehre wegen, und im Glauben   710
An meiner Gründe siegende Gewalt,
Ein Ohr zu leihen jenen Klagepunkten
*Und ihren Ungrund darzutun — Das tat ich
Aus Achtung für die würdigen Personen
Der Lords, nicht für ihr Amt, das ich verwerfe.   715

BURLEIGH.   *Ob Ihr sie anerkennt, ob nicht, Mylady,
Das ist nur eine leere Förmlichkeit,
Die des Gerichtes Lauf nicht hemmen kann.
Ihr atmet Englands Luft, genießt den Schutz,
Die Wohltat des Gesetzes, und so seid Ihr   720
Auch seiner Herrschaft untertan!

MARIA.   Ich atme
Die Luft in einem englischen Gefängnis.
Heißt das in England leben, der Gesetze
Wohltat genießen? Kenn ich sie doch kaum.
Nie hab ich eingewilligt, sie zu halten.   725
*Ich bin nicht dieses Reiches Bürgerin,
Bin eine freie Königin des Auslands.

BURLEIGH.   *Und denkt Ihr, daß der königliche Name
Zum Freibrief dienen könne, blutge Zwietracht
In fremdem Lande straflos auszusäen?   730
Wie stünd es um die Sicherheit der Staaten,

*Wenn das gerechte Schwert der Themis nicht
 Die schuldge Stirn des königlichen Gastes
 Erreichen könnte, wie des Bettlers Haupt?
MARIA. Ich will mich nicht der Rechenschaft entziehn,   735
 Die Richter sind es nur, die ich verwerfe.
BURLEIGH. Die Richter! Wie, Mylady? Sind es etwa
 *Vom Pöbel aufgegriffene Verworfne,
 *Schamlose Zungendrescher, denen Recht
 Und Wahrheit feil ist, die sich zum Organ   740
 Der Unterdrückung willig dingen lassen?
 Sinds nicht die ersten Männer dieses Landes,
 Selbständig gnug, um wahrhaft sein zu dürfen,
 Um über Fürstenfurcht und niedrige
 Bestechung weit erhaben sich zu sehn?   745
 Sinds nicht dieselben, die ein edles Volk
 Frei und gerecht regieren, deren Namen
 Man nur zu nennen braucht, um jeden Zweifel,
 Um jeden Argwohn schleunig stumm zu machen?
*An ihrer Spitze steht der Völkerhirte,   750
 Der fromme Primas von Canterbury,
 Der weise Talbot, der des Siegels wahret,
 Und Howard, der des Reiches Flotten führt.
 Sagt! Konnte die Beherrscherin von England
 Mehr tun, als aus der ganzen Monarchie   755
 Die Edelsten auslesen und zu Richtern
 In diesem königlichen Streit bestellen?
 Und wärs zu denken, daß Parteienhaß
 Den Einzelnen bestäche — Können vierzig
 Erlesne Männer sich in einem Spruche   760
 Der Leidenschaft vereinigen?
MARIA (*nach einigem Stillschweigen*). Ich höre staunend die
     Gewalt des Mundes,
 Der mir von je so unheilbringend war —
 Wie werd ich mich, ein ungelehrtes Weib,
 Mit so kunstfertgem Redner messen können! —   765
 Wohl! wären diese Lords, wie Ihr sie schildert,
 Verstummen müßt ich, hoffnungslos verloren

Wär meine Sache, sprächen sie mich schuldig.
Doch diese Namen, die Ihr preisend nennt,
Die mich durch ihr Gewicht zermalmen sollen,   770
Mylord, ganz andere Rollen seh ich sie
In den Geschichten dieses Landes spielen.
Ich sehe diesen hohen Adel Englands,
Des Reiches majestätischen Senat,
Gleich Sklaven des Serails den Sultanslaunen   775
Heinrichs des Achten, meines Großohms, schmeicheln —
Ich sehe dieses edle Oberhaus,
*Gleich feil mit den erkäuflichen Gemeinen,
Gesetze prägen und verrufen, Ehen
Auflösen, binden, wie der Mächtige   780
*Gebietet, Englands Fürstentöchter heute
Enterben, mit dem Bastardnamen schänden,
Und morgen sie zu Königinnen krönen.
*Ich sehe diese würdgen Peers mit schnell
Vertauschter Überzeugung unter vier   785
Regierungen den Glauben viermal ändern —
BURLEIGH. Ihr nennt Euch fremd in Englands Reichsgesetzen,
In Englands Unglück seid Ihr sehr bewandert.
MARIA. Und das sind meine Richter! — Lord Schatzmeister!
Ich will gerecht sein gegen Euch! Seid Ihrs   790
Auch gegen mich — Man sagt, Ihr meint es gut
Mit diesem Staat, mit Eurer Königin,
Seid unbestechlich, wachsam, unermüdet —
Ich will es glauben. Nicht der eigne Nutzen
Regiert Euch, Euch regiert allein der Vorteil   795
Des Souveräns, des Landes. Eben darum
Mißtraut Euch, edler Lord, daß nicht der Nutzen
Des Staats Euch als Gerechtigkeit erscheine.
Nicht zweifl ich dran, es sitzen neben Euch
Noch edle Männer unter meinen Richtern.   800
Doch sie sind Protestanten, Eiferer
Für Englands Wohl, und sprechen über mich,
Die Königin von Schottland, die Papistin!
*Es kann der Brite gegen den Schotten nicht

Gerecht sein, ist ein uralt Wort — Drum ist   805
Herkömmlich seit der Väter grauen Zeit,
Daß vor Gericht kein Brite gegen den Schotten,
Kein Schotte gegen jenen zeugen darf.
Die Not gab dieses seltsame Gesetz,
Ein tiefer Sinn wohnt in den alten Bräuchen,   810
Man muß sie ehren, Mylord — die Natur
Warf diese beiden feurgen Völkerschaften
Auf dieses Brett im Ozean, ungleich
Verteilte sies, und hieß sie darum kämpfen.
*Der Tweede schmales Bette trennt allein   815
Die heftgen Geister, oft vermischte sich
Das Blut der Kämpfenden in ihren Wellen.
Die Hand am Schwerte, schauen sie sich drohend
Von beiden Ufern an, seit tausend Jahren.
Kein Feind bedränget Engelland, dem nicht   820
Der Schotte sich zum Helfer zugesellte,
Kein Bürgerkrieg entzündet Schottlands Städte,
*Zu dem der Brite nicht den Zunder trug.
Und nicht erlöschen wird der Haß, bis endlich
*Ein Parlament sie brüderlich vereint,   825
Ein Zepter waltet durch die ganze Insel.
BURLEIGH.   Und eine Stuart sollte dieses Glück
Dem Reich gewähren?
MARIA.   Warum soll ichs leugnen?
Ja ich gestehs, daß ich die Hoffnung nährte,
Zwei edle Nationen unterm Schatten   830
*Des Ölbaums frei und fröhlich zu vereinen.
Nicht ihres Völkerhasses Opfer glaubt ich
Zu werden; ihre lange Eifersucht,
Der alten Zwietracht unglückselge Glut
Hofft ich auf ewge Tage zu ersticken,   835
*Und wie mein Ahnherr Richmond die zwei Rosen
Zusammenband nach blutgem Streit, die Kronen
Schottland und England friedlich zu vermählen.
BURLEIGH.   Auf schlimmem Weg verfolgtet Ihr dies Ziel,
Da Ihr das Reich entzünden, durch die Flammen   840

    Des Bürgerkriegs zum Throne steigen wolltet.
MARIA.   Das wollt ich nicht — beim großen Gott des Himmels!
   *Wann hätt ich das gewollt? Wo sind die Proben?
BURLEIGH.   Nicht Streitens wegen kam ich her. Die Sache
    Ist keinem Wortgefecht mehr unterworfen.   845
    Es ist erkannt durch vierzig Stimmen gegen zwei,
   *Daß Ihr die Akte vom vergangnen Jahr
    Gebrochen, dem Gesetz verfallen seid.
    Es ist verordnet im vergangnen Jahr:
    'Wenn sich Tumult im Königreich erhübe,   850
    Im Namen und zum Nutzen irgend einer
    Person, die Rechte vorgibt an die Krone,
    Daß man gerichtlich gegen sie verfahre,
    Bis in den Tod die schuldige verfolge' —
    Und da bewiesen ist —
MARIA.   Mylord von Burleigh!   855
    Ich zweifle nicht, daß ein Gesetz, ausdrücklich
    Auf mich gemacht, verfaßt, mich zu verderben,
   *Sich gegen mich wird brauchen lassen — Wehe
    Dem armen Opfer, wenn derselbe Mund,
    Der das Gesetz gab, auch das Urteil spricht!   860
    Könnt Ihr es leugnen, Lord, daß jene Akte
    Zu meinem Untergang ersonnen ist?
BURLEIGH.   Zu Eurer Warnung sollte sie gereichen,
   *Zum Fallstrick habt Ihr selber sie gemacht.
    Den Abgrund saht Ihr, der vor Euch sich auftat,   865
    Und treugewarnet stürztet Ihr hinein.
    Ihr wart mit Babington, dem Hochverräter,
    Und seinen Mordgesellen einverstanden,
   *Ihr hattet Wissenschaft von allem, lenktet
    Aus Eurem Kerker planvoll die Verschwörung.   870
MARIA.   Wann hätt ich das getan? Man zeige mir
    Die Dokumente auf.
BURLEIGH.   Die hat man Euch
    Schon neulich vor Gerichte vorgewiesen.
MARIA.   *Die Kopien, von fremder Hand geschrieben!
    Man bringe die Beweise mir herbei,   875

Daß ich sie selbst diktiert, daß ich sie so
Diktiert, gerade so, wie man gelesen.
BURLEIGH. Daß es dieselben sind, die er empfangen,
Hat Babington vor seinem Tod bekannt.
MARIA. Und warum stellte man ihn mir nicht lebend   880
Vor Augen? Warum eilte man so sehr,
Ihn aus der Welt zu fördern, eh man ihn
Mir, Stirne gegen Stirne, vorgeführt?
BURLEIGH. *Auch Eure Schreiber, Kurl und Nau, erhärten
Mit einem Eid, daß es die Briefe seien,   885
Die sie aus Eurem Munde niederschrieben.
MARIA. Und auf das Zeugnis meiner Hausbedienten
Verdammt man mich? Auf Treu und Glauben derer,
Die mich verraten, ihre Königin,
Die in demselben Augenblick die Treu   890
Mir brachen, da sie gegen mich gezeugt?
BURLEIGH. Ihr selbst erklärtet sonst den Schotten Kurl
Für einen Mann von Tugend und Gewissen.
MARIA. So kannt ich ihn — doch eines Mannes Tugend
Erprobt allein die Stunde der Gefahr.   895
Die Folter konnt ihn ängstigen, daß er
Aussagte und gestand, was er nicht wußte!
Durch falsches Zeugnis glaubt' er sich zu retten,
Und mir, der Königin, nicht viel zu schaden.
BURLEIGH. Mit einem freien Eid hat ers beschworen.   900
MARIA. *Vor meinem Angesichte nicht! — Wie, Sir?
Das sind zwei Zeugen, die noch beide leben!
Man stelle sie mir gegenüber, lasse sie
Ihr Zeugnis mir ins Antlitz wiederholen!
Warum mir eine Gunst, ein Recht verweigern,   905
Das man dem Mörder nicht versagt? Ich weiß
Aus Talbots Munde, meines vorgen Hüters,
Daß unter dieser nämlichen Regierung
*Ein Reichsschluß durchgegangen, der befiehlt,
*Den Kläger dem Beklagten vorzustellen.   910
Wie? Oder hab ich falsch gehört? — Sir Paulet!
Ich hab Euch stets als Biedermann erfunden,

Beweist es jetzo. Sagt mir auf Gewissen,
Ists nicht so? Gibts kein solch Gesetz in England?
PAULET.   So ists, Mylady. Das ist bei uns Rechtens.   915
Was wahr ist, muß ich sagen.
MARIA.   Nun, Mylord!
Wenn man mich denn so streng nach englischem Recht
Behandelt, wo dies Recht mich unterdrückt,
*Warum dasselbe Landesrecht umgehen,
Wenn es mir Wohltat werden kann? — Antwortet!   920
Warum ward Babington mir nicht vor Augen
Gestellt, wie das Gesetz befiehlt? Warum
Nicht meine Schreiber, die noch beide leben?
BURLEIGH.   Ereifert Euch nicht, Lady. Euer Einverständnis
Mit Babington ists nicht allein —
MARIA.   Es ists   925
Allein, was mich dem Schwerte des Gesetzes
Bloßstellt, wovon ich mich zu reingen habe.
*Mylord! Bleibt bei der Sache. Beugt nicht aus.
BURLEIGH.   *Es ist bewiesen, daß Ihr mit Mendoza,
Dem spanischen Botschafter, unterhandelt —   930
MARIA (lebhaft). Bleibt bei der Sache, Lord!
BURLEIGH.   Daß Ihr Anschläge
Geschmiedet, die Religion des Landes
Zu stürzen, alle Könige Europens
Zum Krieg mit England aufgeregt —
MARIA.   Und wenn ichs
Getan? Ich hab es nicht getan — Jedoch   935
Gesetzt, ich tats! — Mylord, man hält mich hier
Gefangen wider alle Völkerrechte.
Nicht mit dem Schwerte kam ich in dies Land,
Ich kam herein, als eine Bittende,
*Das heilge Gastrecht fodernd, in den Arm   940
Der blutsverwandten Königin mich werfend —
Und so ergriff mich die Gewalt, bereitete
Mir Ketten, wo ich Schutz gehofft — Sagt an!
Ist mein Gewissen gegen diesen Staat
Gebunden? Hab ich Pflichten gegen England?   945

Ein heilig Zwangsrecht üb ich aus, da ich
Aus diesen Banden strebe, Macht mit Macht
Abwende, alle Staaten dieses Weltteils
Zu meinem Schutz aufrühre und bewege.
Was irgend nur in einem guten Krieg   950
Recht ist und ritterlich, das darf ich üben.
Den Mord allein, die heimlich blutge Tat,
Verbietet mir mein Stolz und mein Gewissen,
Mord würde mich beflecken und entehren.
Entehren sag ich — keinesweges mich   955
Verdammen, einem Rechtsspruch unterwerfen.
Denn nicht vom Rechte, von Gewalt allein
Ist zwischen mir und Engelland die Rede.
BURLEIGH (*bedeutend*).   Nicht auf der Stärke schrecklich Recht
    beruft Euch,
    Mylady! Es ist der Gefangenen nicht günstig.   960
MARIA.   Ich bin die Schwache, sie die Mächtge — Wohl!
Sie brauche die Gewalt, sie töte mich,
Sie bringe ihrer Sicherheit das Opfer.
Doch sie gestehe dann, daß sie die Macht
Allein, nicht die Gerechtigkeit geübt.   965
Nicht vom Gesetze borge sie das Schwert,
Sich der verhaßten Feindin zu entladen,
Und kleide nicht in heiliges Gewand
Der rohen Stärke blutiges Erkühnen.
Solch Gaukelspiel betrüge nicht die Welt!   970
Ermorden lassen kann sie mich, nicht richten!
Sie geb es auf, mit des Verbrechens Früchten
Den heilgen Schein der Tugend zu vereinen,
Und was sie ist, das wage sie zu scheinen! (*Sie geht ab.*)

Achter Auftritt
BURLEIGH. PAULET

BURLEIGH.   Sie trotzt uns — wird uns trotzen, Ritter
    Paulet,   975

Bis an die Stufen des Schafotts — Dies stolze Herz
Ist nicht zu brechen — Überraschte sie
*Der Urtelspruch? Saht Ihr sie eine Träne
Vergießen? Ihre Farbe nur verändern?
Nicht unser Mitleid ruft sie an. Wohl kennt sie   980
Den Zweifelmut der Königin von England,
Und unsre Furcht ists, was sie mutig macht.

PAULET. Lord Großschatzmeister! Dieser eitle Trotz wird schnell
Verschwinden, wenn man ihm den Vorwand raubt.
Es sind Unziemlichkeiten vorgegangen   985
In diesem Rechtstreit, wenn ichs sagen darf.
Man hätte diesen Babington und Tichburn
Ihr in Person vorführen, ihre Schreiber
Ihr gegenüber stellen sollen.

BURLEIGH (schnell).   Nein!
Nein, Ritter Paulet! Das war nicht zu wagen.   990
Zu groß ist ihre Macht auf die Gemüter
Und ihrer Tränen weibliche Gewalt.
Ihr Schreiber Kurl, ständ er ihr gegenüber,
Käm es dazu, das Wort nun auszusprechen,
An dem ihr Leben hängt — er würde zaghaft   995
Zurückziehn, sein Geständnis widerrufen —

PAULET. So werden Englands Feinde alle Welt
Erfüllen mit gehässigen Gerüchten,
Und des Prozesses festliches Gepräng
Wird als ein kühner Frevel nur erscheinen.   1000

BURLEIGH. Dies ist der Kummer unsrer Königin —
Daß diese Stifterin des Unheils doch
Gestorben wäre, ehe sie den Fuß
Auf Englands Boden setzte!

PAULET.   Dazu sag ich Amen.

BURLEIGH. *Daß Krankheit sie im Kerker auf-   1005
gerieben!

PAULET. Viel Unglück hätt es diesem Land erspart.

BURLEIGH. Doch hätt auch gleich ein Zufall der Natur
Sie hingerafft — Wir hießen doch die Mörder.

PAULET. Wohl wahr. Man kann den Menschen nicht ver-
    wehren,
    Zu denken, was sie wollen.
BURLEIGH.   Zu beweisen wärs   1010
    Doch nicht, und würde weniger Geräusch erregen —
PAULET.   Mag es Geräusch erregen! Nicht der laute,
    Nur der gerechte Tadel kann verletzen.
BURLEIGH.   O! auch die heilige Gerechtigkeit
    *Entflieht dem Tadel nicht. Die Meinung hält es   1015
    Mit dem Unglücklichen, es wird der Neid
    Stets den obsiegend Glücklichen verfolgen.
    Das Richterschwert, womit der Mann sich ziert,
    Verhaßt ists in der Frauen Hand. Die Welt
    Glaubt nicht an die Gerechtigkeit des Weibes,   1020
    Sobald ein Weib das Opfer wird. Umsonst,
    Daß wir, die Richter, nach Gewissen sprachen!
    Sie hat der Gnade königliches Recht.
    Sie muß es brauchen, unerträglich ists,
    Wenn sie den strengen Lauf läßt dem Gesetze!   1025
PAULET.   Und also —
                  BURLEIGH (*rasch einfallend*).
                  Also soll sie leben? Nein!
    Sie darf nicht leben! Nimmermehr! Dies, eben
    Dies ists, was unsre Königin beängstigt —
    Warum der Schlaf ihr Lager flieht — Ich lese
    In ihren Augen ihrer Seele Kampf,   1030
    *Ihr M und wagt ihre Wünsche nicht zu sprechen,
    Doch vielbedeutend fragt ihr stummer Blick:
    Ist unter allen meinen Dienern keiner,
    Der die verhaßte Wahl mir spart, in ewger Furcht
    Auf meinem Thron zu zittern, oder grausam   1035
    Die Königin, die eigne Blutsverwandte
    Dem Beil zu unterwerfen?
PAULET.   Das ist nun die Notwendigkeit, steht nicht zu ändern.
BURLEIGH.   Wohl stünds zu ändern, meint die Königin,
    Wenn sie nur aufmerksamre Diener hätte.   1040
PAULET.   Aufmerksame!

BURLEIGH.   Die einen stummen Auftrag
  Zu deuten wissen.
PAULET.   Einen stummen Auftrag!
BURLEIGH. Die, wenn man ihnen eine giftge Schlange
  Zu hüten gab, den anvertrauten Feind
  Nicht wie ein heilig teures Kleinod hüten.   1045
PAULET (*bedeutungsvoll*). Ein hohes Kleinod ist der gute
  Name,
  Der unbescholtne Ruf der Königin,
  Den kann man nicht zu wohl bewachen, Sir!
BURLEIGH. Als man die Lady von dem Shrewsbury
  Wegnahm und Ritter Paulets Hut vertraute,   1050
  Da war die Meinung —
PAULET.   Ich will hoffen, Sir,
  Die Meinung war, daß man den schwersten Auftrag
  Den reinsten Händen übergeben wollte.
  *Bei Gott! Ich hätte dieses Schergenamt
  Nicht übernommen, dächt ich nicht, daß es   1055
  Den besten Mann in England foderte.
  Laßt mich nicht denken, daß ichs etwas anderm
  Als meinem reinen Rufe schuldig bin.
BURLEIGH. *Man breitet aus, sie schwinde, läßt sie kränker
  Und kränker werden, endlich still verscheiden,   1060
  So stirbt sie in der Menschen Angedenken —
  Und Euer Ruf bleibt rein.
PAULET.   Nicht mein Gewissen.
BURLEIGH. Wenn Ihr die eigne Hand nicht leihen wollt,
  So werdet Ihr der fremden doch nicht wehren —
PAULET (*unterbricht ihn*). Kein Mörder soll sich ihrer Schwelle
  nahn,   1065
  So lang die Götter meines Dachs sie schützen.
  Ihr Leben ist mir heilig, heilger nicht
  Ist mir das Haupt der Königin von England.
  *Ihr seid die Richter! Richtet! Brecht den Stab!
  Und wenn es Zeit ist, laßt den Zimmerer   1070
  Mit Axt und Säge kommen, das Gerüst
  Aufschlagen — für den Sheriff und den Henker

Soll meines Schlosses Pforte offen sein.
Jetzt ist sie zur Bewahrung mir vertraut,
Und seid gewiß, ich werde sie bewahren, 1075
Daß sie nichts Böses tun soll, noch erfahren! (*Gehen ab.*)

ZWEITER AUFZUG

Der Palast zu Westminster

Erster Auftritt

Der GRAF VON KENT *und* SIR WILLIAM DAVISON *begegnen einander.*

DAVISON. *Seid Ihrs, Mylord von Kent? Schon vom Turnier-
   platz
   Zurück, und ist die Festlichkeit zu Ende?
KENT. Wie? Wohntet Ihr dem Ritterspiel nicht bei?
DAVISON. Mich hielt mein Amt.
KENT.   Ihr habt das schönste Schauspiel   1080
   Verloren, Sir, das der Geschmack ersonnen,
   Und edler Anstand ausgeführt — denn wißt!
 *Es wurde vorgestellt die keusche Festung
   Der Schönheit, wie sie vom Verlangen
 *Berennt wird — Der Lord Marschall, Oberrichter,   1085
   Der Seneschall nebst zehen andern Rittern
   Der Königin verteidigten die Festung,
   Und Frankreichs Kavaliere griffen an.
   Voraus erschien ein Herold, der das Schloß
 *Auffoderte in einem Madrigale,   1090
   Und von dem Wall antwortete der Kanzler.
   Drauf spielte das Geschütz, und Blumensträuße,
   Wohlriechend köstliche Essenzen wurden
   Aus niedlichen Feldstücken abgefeuert.
   Umsonst! die Stürme wurden abgeschlagen,   1095
   Und das Verlangen mußte sich zurückziehn.
DAVISON. Ein Zeichen böser Vorbedeutung, Graf,
   Für die französische Brautwerbung.
KENT. Nun, nun, das war ein Scherz — Im Ernste denk ich,
   Wird sich die Festung endlich doch ergeben.   1100
DAVISON. Glaubt Ihr? Ich glaub es nimmermehr.

KENT. Die schwierigsten Artikel sind bereits
    Berichtigt und von Frankreich zugestanden.
    Monsieur begnügt sich, in verschlossener
    Kapelle seinen Gottesdienst zu halten,   1105
    Und öffentlich die Reichsreligion
    Zu ehren und zu schützen — Hättet Ihr den Jubel
    Des Volks gesehn, als diese Zeitung sich verbreitet!
    Denn dieses war des Landes ewge Furcht,
    Sie möchte sterben ohne Leibeserben,   1110
    Und England wieder Papstes Fesseln tragen,
    Wenn ihr die Stuart auf dem Throne folgte.
DAVISON. Der Furcht kann es entledigt sein — Sie geht
    Ins Brautgemach, die Stuart geht zum Tode.
KENT. Die Königin kommt!   1115

Zweiter Auftritt

*DIE VORIGEN. ELISABETH, *von* LEICESTER *geführt.* GRAF
AUBESPINE, BELLIEVRE, GRAF SHREWSBURY, LORD
BURLEIGH *mit noch andern französischen und englischen Herren*
treten auf.

ELISABETH (*zu Aubespine*). Graf! Ich beklage diese edeln
    Herrn,
    Die ihr galanter Eifer über Meer
    Hieher geführt, daß sie die Herrlichkeit
    Des Hofs von Saint Germain bei mir vermissen.
  *Ich kann so prächtge Götterfeste nicht   1120
    Erfinden als die königliche Mutter
    Von Frankreich — Ein gesittet fröhlich Volk,
    Das sich, so oft ich öffentlich mich zeige,
    Mit Segnungen um meine Sänfte drängt,
    Dies ist das Schauspiel, das ich fremden Augen   1125
    Mit eingem Stolze zeigen kann. Der Glanz
    Der Edelfräulein, die im Schönheitsgarten
    Der Katharina blühn, verbärge nur
  *Mich selber und mein schimmerlos Verdienst.

AUBESPINE. Nur eine Dame zeigt Westminsterhof   1130
  Dem überraschten Fremden — aber alles,
  Was an dem reizenden Geschlecht entzückt,
  Stellt sich versammelt dar in dieser einen.
BELLIEVRE. Erhabne Majestät von Engelland,
  Vergönne, daß wir unsern Urlaub nehmen,   1135
  Und Monsieur, unsern königlichen Herrn,
  Mit der ersehnten Freudenpost beglücken.
  Ihn hat des Herzens heiße Ungeduld
  Nicht in Paris gelassen, er erwartet
  Zu Amiens die Boten seines Glücks,   1140
  Und bis nach Calais reichen seine Posten,
  Das Jawort, das dein königlicher Mund
  Aussprechen wird, mit Flügelschnelligkeit
  Zu seinem trunknen Ohre hinzutragen.
ELISABETH. Graf Bellievre, dringt nicht weiter in mich.   1145
  Nicht Zeit ists jetzt, ich wiederhol es Euch,
  Die freudge Hochzeitfackel anzuzünden.
  Schwarz hängt der Himmel über diesem Land,
  Und besser ziemte mir der Trauerflor
  Als das Gepränge bräutlicher Gewänder.   1150
  Denn nahe droht ein jammervoller Schlag
  Mein Herz zu treffen und mein eignes Haus.
BELLIEVRE. Nur dein Versprechen gib uns, Königin,
  In frohern Tagen folge die Erfüllung.
ELISABETH. Die Könige sind nur Sklaven ihres Standes,   1155
  Dem eignen Herzen dürfen sie nicht folgen.
 *Mein Wunsch wars immer, unvermählt zu sterben,
  Und meinen Ruhm hätt ich darein gesetzt,
  Daß man dereinst auf meinem Grabstein läse:
  'Hier ruht die jungfräuliche Königin.'   1160
  Doch meine Untertanen wollens nicht,
  Sie denken jetzt schon fleißig an die Zeit,
 *Wo ich dahin sein werde — Nicht genug,
  Daß jetzt der Segen dieses Land beglückt,
  Auch ihrem künftgen Wohl soll ich mich opfern,   1165
  Auch meine jungfräuliche Freiheit soll ich,

Mein höchstes Gut, hingeben für mein Volk,
Und der Gebieter wird mir aufgedrungen.
Es zeigt mir dadurch an, daß ich ihm nur
Ein Weib bin, und ich meinte doch, regiert   1170
Zu haben, wie ein Mann und wie ein König.
Wohl weiß ich, daß man Gott nicht dient, wenn man
*Die Ordnung der Natur verläßt, und Lob
Verdienen sie, die vor mir hier gewaltet,
Daß sie die Klöster aufgetan, und tausend   1175
Schlachtopfer einer falschverstandnen Andacht
Den Pflichten der Natur zurückgegeben.
Doch eine Königin, die ihre Tage
Nicht ungenützt in müßiger Beschauung
Verbringt, die unverdrossen, unermüdet,   1180
Die schwerste aller Pflichten übt, die sollte
Von dem Naturzweck ausgenommen sein,
Der eine Hälfte des Geschlechts der Menschen
Der andern unterwürfig macht —
AUBESPINE. Jedwede Tugend, Königin, hast du   1185
Auf deinem Thron verherrlicht, nichts ist übrig,
Als dem Geschlechte, dessen Ruhm du bist,
Auch noch in seinen eigensten Verdiensten
Als Muster vorzuleuchten. Freilich lebt
Kein Mann auf Erden, der es würdig ist,   1190
Daß du die Freiheit ihm zum Opfer brächtest.
*Doch wenn Geburt, wenn Hoheit, Heldentugend
Und Männerschönheit einen Sterblichen
Der Ehre würdig machen, so —
ELISABETH.   Kein Zweifel,
Herr Abgesandter, daß ein Ehebündnis   1195
Mit einem königlichen Sohne Frankreichs
Mich ehrt! Ja, ich gesteh es unverhohlen,
Wenn es sein muß — wenn ichs nicht ändern kann,
Dem Dringen meines Volkes nachzugeben —
Und es wird stärker sein als ich, befürcht ich —   1200
So kenn ich in Europa keinen Fürsten,
Dem ich mein höchstes Kleinod, meine Freiheit,

Mit minderm Widerwillen opfern würde.
Laßt dies Geständnis Euch Genüge tun.
BELLIEVRE. Es ist die schönste Hoffnung, doch es ist   1205
  Nur eine Hoffnung, und mein Herr wünscht mehr —
ELISABETH. *Was wünscht er?

(Sie zieht einen Ring vom Finger und betrachtet ihn nachdenkend.)

                        Hat die Königin doch nichts
Voraus vor dem gemeinen Bürgerweibe!
Das gleiche Zeichen weist auf gleiche Pflicht,
Auf gleiche Dienstbarkeit — Der Ring macht Ehen,   1210
Und Ringe sinds, die eine Kette machen.
— Bringt seiner Hoheit dies Geschenk. Es ist
Noch keine Kette, bindet mich noch nicht,
Doch kann ein Reif draus werden, der mich bindet.
BELLIEVRE (*kniet nieder, den Ring empfangend*). In seinem
    Namen, große Königin,   1215
  Empfang ich knieend dies Geschenk, und drücke
  Den Kuß der Huldigung auf meiner Fürstin Hand!
ELISABETH (*zum Grafen Leicester, den sie während der letzten
    Rede unverwandt betrachtet hat*). Erlaubt, Mylord!

(Sie nimmt ihm das blaue Band ab, und hängt es dem Bellievre um.)

                       Bekleidet Seine Hoheit
Mit diesem Schmuck, wie ich Euch hier damit
Bekleide und in meines Ordens Pflichten nehme.   1220
*Honny soit qui mal y pense! — Es schwinde
Der Argwohn zwischen beiden Nationen,
Und ein vertraulich Band umschlinge fortan
Die Kronen Frankreich und Britannien!
AUBESPINE. Erhabne Königin, dies ist ein Tag   1225
  Der Freude! Möcht ers allen sein und möchte
  Kein Leidender auf dieser Insel trauern!
  Die Gnade glänzt auf deinem Angesicht,
  O! daß ein Schimmer ihres heitern Lichts
  Auf eine unglücksvolle Fürstin fiele,   1230

    Die Frankreich und Britannien gleich nahe
    Angeht —
ELISABETH.   Nicht weiter, Graf! Vermengen wir
    Nicht zwei ganz unvereinbare Geschäfte.
    Wenn Frankreich ernstlich meinen Bund verlangt,
    Muß es auch meine Sorgen mit mir teilen,   1235
    Und meiner Feinde Freund nicht sein —
AUBESPINE.   Unwürdig
    In deinen eignen Augen würd es handeln,
    Wenn es die Unglückselige, die Glaubens-
    Verwandte, und die Witwe seines Königs
    In diesem Bund vergäße — Schon die Ehre,   1240
    Die Menschlichkeit verlangt —
ELISABETH.   In diesem Sinn
    Weiß ich sein Fürwort nach Gebühr zu schätzen.
    Frankreich erfüllt die Freundespflicht, mir wird
    Verstattet sein, als Königin zu handeln.

    (*Sie neigt sich gegen die französischen Herren, welche sich mit
            den übrigen Lords ehrfurchtsvoll entfernen.*)

Dritter Auftritt

ELISABETH. LEICESTER. BURLEIGH. TALBOT.
Die Königin setzt sich.

BURLEIGH.   Ruhmvolle Königin! Du krönest heut   1245
    Die heißen Wünsche deines Volks. Nun erst
    Erfreun wir uns der segenvollen Tage,
    Die du uns schenkst, da wir nicht zitternd mehr
    In eine stürmevolle Zukunft schauen.
    Nur eine Sorge kümmert noch dies Land,   1250
  *Ein Opfer ists, das alle Stimmen fodern.
    Gewähr auch dieses, und der heutge Tag
    Hat Englands Wohl auf immerdar gegründet.
ELISABETH.   Was wünscht mein Volk noch? Sprecht, Mylord.
BURLEIGH.   *Es fodert
    Das Haupt der Stuart — Wenn du deinem Volk   1255

Der Freiheit köstliches Geschenk, das teuer
Erworbne Licht der Wahrheit willst versichern,
So muß sie nicht mehr sein — Wenn wir nicht ewig
Für dein kostbares Leben zittern sollen,
So muß die Feindin untergehn! — Du weißt es,   1260
Nicht alle deine Briten denken gleich,
Noch viele heimliche Verehrer zählt
Der römsche Götzendienst auf dieser Insel.
Die alle nähren feindliche Gedanken,
Nach dieser Stuart steht ihr Herz, sie sind   1265
*Im Bunde mit den lothringischen Brüdern,
Den unversöhnten Feinden deines Namens.
Dir ist von dieser wütenden Partei
Der grimmige Vertilgungskrieg geschworen,
Den man mit falschen Höllenwaffen führt.   1270
*Zu Reims, dem Bischofssitz des Kardinals,
Dort ist das Rüsthaus, wo sie Blitze schmieden,
Dort wird der Königsmord gelehrt — Von dort
Geschäftig senden sie nach deiner Insel
*Die Missionen aus, entschloßne Schwärmer,   1275
In allerlei Gewand vermummt — Von dort
Ist schon der dritte Mörder ausgegangen,
Und unerschöpflich, ewig neu erzeugen
Verborgne Feinde sich aus diesem Schlunde.
— Und in dem Schloß zu Fotheringhay sitzt   1280
*Die Ate dieses ewgen Kriegs, die mit
Der Liebesfackel dieses Reich entzündet.
Für sie, die schmeichelnd jedem Hoffnung gibt,
Weiht sich die Jugend dem gewissen Tod —
Sie zu befreien, ist die Losung, sie   1285
Auf deinen Thron zu setzen, ist der Zweck.
Denn dies Geschlecht der Lothringer erkennt
Dein heilig Recht nicht an, du heißest ihnen
Nur eine Räuberin des Throns, gekrönt
Vom Glück! Sie warens, die die Törichte   1290
Verführt, sich Englands Königin zu schreiben.
Kein Friede ist mit ihr und ihrem Stamm!

Du mußt den Streich erleiden oder führen.
Ihr Leben ist dein Tod! Ihr Tod dein Leben!

ELISABETH.   Mylord! Ein traurig Amt verwaltet Ihr.   1295
Ich kenne Eures Eifers reinen Trieb,
Weiß, daß gediegne Weisheit aus Euch redet,
Doch diese Weisheit, welche Blut befiehlt,
Ich hasse sie in meiner tiefsten Seele.
Sinnt einen mildern Rat aus — Edler Lord   1300
Von Shrewsbury! Sagt Ihr uns Eure Meinung.

TALBOT.   Du gabst dem Eifer ein gebührend Lob,
Der Burleighs treue Brust beseelt — Auch mir,
Strömt es mir gleich nicht so beredt vom Munde,
Schlägt in der Brust kein minder treues Herz.   1305
Mögst du noch lange leben, Königin,
Die Freude deines Volks zu sein, das Glück
Des Friedens diesem Reiche zu verlängern.
So schöne Tage hat dies Eiland nie
Gesehn, seit eigne Fürsten es regieren.   1310
Mög es sein Glück mit seinem Ruhme nicht
Erkaufen! Möge Talbots Auge wenigstens
Geschlossen sein, wenn dies geschieht!

ELISABETH.   Verhüte Gott, daß wir den Ruhm befleckten!

TALBOT.   Nun dann, so wirst du auf ein ander Mittel sinnen,
Dies Reich zu retten — denn die Hinrichtung   1316
Der Stuart ist ein ungerechtes Mittel.
Du kannst das Urteil über die nicht sprechen,
Die dir nicht untertänig ist.

ELISABETH.   So irrt
Mein Staatsrat und mein Parlament, im Irrtum   1320
Sind alle Richterhöfe dieses Landes,
Die mir dies Recht einstimmig zuerkannt —

TALBOT.   Nicht Stimmenmehrheit ist des Rechtes Probe,
England ist nicht die Welt, dein Parlament
Nicht der Verein der menschlichen Geschlechter.   1325
Dies heutge England ist das künftge nicht,
Wie's das vergangne nicht mehr ist — Wie sich
Die Neigung anders wendet, also steigt

Und fällt des Urteils wandelbare Woge.
Sag nicht, du müssest der Notwendigkeit   1330
Gehorchen und dem Dringen deines Volks.
Sobald du willst, in jedem Augenblick
Kannst du erproben, daß dein Wille frei ist.
Versuchs! Erkläre, daß du Blut verabscheust,
Der Schwester Leben willst gerettet sehn,   1335
Zeig denen, die dir anders raten wollen,
Die Wahrheit deines königlichen Zorns,
Schnell wirst du die Notwendigkeit verschwinden
Und Recht in Unrecht sich verwandeln sehn.
Du selbst mußt richten, du allein. Du kannst dich   1340
Auf dieses unstet schwanke Rohr nicht lehnen.
Der eignen Milde folge du getrost.
Nicht Strenge legte Gott ins weiche Herz
Des Weibes — Und die Stifter dieses Reichs,
Die auch dem Weib die Herrscherzügel gaben,   1345
Sie zeigten an, daß Strenge nicht die Tugend
Der Könige soll sein in diesem Lande.

ELISABETH. Ein warmer Anwalt ist Graf Shrewsbury
     Für meine Feindin und des Reichs. Ich ziehe
     Die Räte vor, die meine Wohlfahrt lieben.   1350

TALBOT. *Man gönnt ihr keinen Anwalt, niemand wagts,
     Zu ihrem Vorteil sprechend, deinem Zorn
     Sich bloß zu stellen — So vergönne mir,
     Dem alten Manne, den am Grabesrand
     Kein irdisch Hoffen mehr verführen kann,   1355
   *Daß ich die Aufgegebene beschütze.
     Man soll nicht sagen, daß in deinem Staatsrat
     Die Leidenschaft, die Selbstsucht eine Stimme
     Gehabt, nur die Barmherzigkeit geschwiegen.
     Verbündet hat sich alles wider sie,   1360
     Du selber hast ihr Antlitz nie gesehn,
     Nichts spricht in deinem Herzen für die Fremde.
   * — Nicht ihrer Schuld red ich das Wort. Man sagt,
     Sie habe den Gemahl ermorden lassen,
     Wahr ists, daß sie den Mörder ehlichte.   1365

D

Ein schwer Verbrechen! — Aber es geschah
In einer finster unglücksvollen Zeit,
*Im Angstgedränge bürgerlichen Kriegs,
Wo sie, die Schwache, sich umrungen sah
Von heftigdringenden Vasallen, sich   1370
Dem Mutvollstärksten in die Arme warf —
*Wer weiß, durch welcher Künste Macht besiegt?
Denn ein gebrechlich Wesen ist das Weib.

ELISABETH.   Das Weib ist nicht schwach. Es gibt starke
    Seelen
In dem Geschlecht — Ich will in meinem Beisein   1375
Nichts von der Schwäche des Geschlechtes hören.

TALBOT.   Dir war das Unglück eine strenge Schule.
Nicht seine Freudenseite kehrte dir
Das Leben zu. Du sahest keinen Thron
Von ferne, nur das Grab zu deinen Füßen.   1380
*Zu Woodstock wars und in des Towers Nacht,
Wo dich der gnädge Vater dieses Landes
Zur ersten Pflicht durch Trübsal auferzog.
Dort suchte dich der Schmeichler nicht. Früh lernte,
Vom eiteln Weltgeräusche nicht zerstreut,   1385
Dein Geist sich sammeln, denkend in sich gehn,
Und dieses Lebens wahre Güter schätzen.
* — Die Arme rettete kein Gott. Ein zartes Kind
Ward sie verpflanzt nach Frankreich, an den Hof
Des Leichtsinns, der gedankenlosen Freude.   1390
Dort in der Feste ewger Trunkenheit,
Vernahm sie nie der Wahrheit ernste Stimme.
Geblendet ward sie von der Laster Glanz,
Und fortgeführt vom Strome des Verderbens.
Ihr ward der Schönheit eitles Gut zuteil,   1395
Sie überstrahlte blühend alle Weiber,
Und durch Gestalt nicht minder als Geburt — —

ELISABETH.   Kommt zu Euch selbst, Mylord von Shrewsbury!
Denkt, daß wir hier im ernsten Rate sitzen.
Das müssen Reize sondergleichen sein,   1400
Die einen Greis in solches Feuer setzen.

— Mylord von Leicester! Ihr allein schweigt still?
Was ihn beredt macht, bindets Euch die Zunge?
LEICESTER. *Ich schweige für Erstaunen, Königin,
  Daß man dein Ohr mit Schrecknissen erfüllt,   1405
  Daß diese Märchen, die in Londons Gassen
  Den gläubgen Pöbel ängsten, bis herauf
  In deines Staatsrats heitre Mitte steigen,
  Und weise Männer ernst beschäftigen.
  Verwunderung ergreift mich, ich gestehs,   1410
  Daß diese länderlose Königin
  Von Schottland, die den eignen kleinen Thron
  Nicht zu behaupten wußte, ihrer eignen
  Vasallen Spott, der Auswurf ihres Landes,
  Dein Schrecken wird auf einmal im Gefängnis!   1415
  — Was, beim Allmächtgen! machte sie dir furchtbar?
  Daß sie dies Reich in Anspruch nimmt, daß dich
  Die Guisen nicht als Königin erkennen?
  Kann dieser Guisen Widerspruch das Recht
  Entkräften, das Geburt dir gab, der Schluß   1420
  Der Parlamente dir bestätigte?
  Ist sie durch Heinrichs letzten Willen nicht
  Stillschweigend abgewiesen, und wird England,
  So glücklich im Genuß des neuen Lichts,
  Sich der Papistin in die Arme werfen?   1425
  Von dir, der angebeteten Monarchin,
  Zu Darnleys Mörderin hinüberlaufen?
  Was wollen diese ungestümen Menschen,
  Die dich noch lebend mit der Erbin quälen,
  Dich nicht geschwind genug vermählen können,   1430
  Um Staat und Kirche von Gefahr zu retten?
  Stehst du nicht blühend da in Jugendkraft,
  Welkt jene nicht mit jedem Tag zum Grabe?
  Bei Gott! Du wirst, ich hoffs, noch viele Jahre
  Auf ihrem Grabe wandeln, ohne daß   1435
  Du selber sie hinabzustürzen brauchtest —
BURLEIGH.   Lord Leicester hat nicht immer so geurteilt.
LEICESTER.   Wahr ists, ich habe selber meine Stimme

Zu ihrem Tod gegeben im Gericht.
— Im Staatsrat sprech ich anders. Hier ist nicht   1440
Die Rede von dem Recht, nur von dem Vorteil.
Ists jetzt die Zeit, von ihr Gefahr zu fürchten,
Da Frankreich sie verläßt, ihr einzger Schutz,
Da du den Königssohn mit deiner Hand
Beglücken willst, die Hoffnung eines neuen   1445
Regentenstammes diesem Lande blüht?
Wozu sie also töten? Sie ist tot!
Verachtung ist der wahre Tod. Verhüte,
Daß nicht das Mitleid sie ins Leben rufe!
Drum ist mein Rat: Man lasse die Sentenz,   1450
Die ihr das Haupt abspricht, in voller Kraft
Bestehn! Sie lebe — aber unterm Beile
Des Henkers lebe sie, und schnell, wie sich
Ein Arm für sie bewaffnet, fall es nieder.
ELISABETH (*steht auf*).   Mylords, ich hab nun eure Meinungen
Gehört, und sag euch Dank für euren Eifer.   1456
Mit Gottes Beistand, der die Könige
Erleuchtet, will ich eure Gründe prüfen,
Und wählen, was das Bessere mir dünkt.

Vierter Auftritt

DIE VORIGEN. RITTER PAULET *mit* MORTIMERN.

ELISABETH.   Da kommt Amias Paulet. Edler Sir,   1460
Was bringt Ihr uns?
PAULET.   Glorwürdge Majestät!
Mein Neffe, der ohnlängst von weiten Reisen
Zurückgekehrt, wirft sich zu deinen Füßen
Und leistet dir sein jugendlich Gelübde.
Empfange du es gnadenvoll und laß   1465
Ihn wachsen in der Sonne deiner Gunst.
MORTIMER (*läßt sich auf ein Knie nieder*).   Lang lebe meine
      königliche Frau,
Und Glück und Ruhm bekröne ihre Stirne!

ELISABETH.   Steht auf. Seid mir willkommen, Sir, in
   England.
   *Ihr habt den großen Weg gemacht, habt Frankreich   1470
   Bereist und Rom und Euch zu Reims verweilt.
   *Sagt mir denn an, was spinnen unsre Feinde?
MORTIMER.   Ein Gott verwirre sie und wende rückwärts
   Auf ihrer eignen Schützen Brust die Pfeile,
   Die gegen meine Königin gesandt sind.   1475
ELISABETH.   *Saht Ihr den Morgan und den ränkespinnenden
   Bischof von Roße?
MORTIMER.   Alle schottische
   Verbannte lernt ich kennen, die zu Reims
   Anschläge schmieden gegen diese Insel.
   In ihr Vertrauen stahl ich mich, ob ich   1480
   Etwa von ihren Ränken was entdeckte.
PAULET.   Geheime Briefe hat man ihm vertraut,
   In Ziffern, für die Königin von Schottland,
   Die er mit treuer Hand uns überliefert.
ELISABETH.   Sagt, was sind ihre neuesten Entwürfe?   1485
MORTIMER.   Es traf sie alle wie ein Donnerstreich,
   Daß Frankreich sie verläßt, den festen Bund
   Mit England schließt, jetzt richten sie die Hoffnung
   Auf Spanien.
ELISABETH.   So schreibt mir Walsingham.
MORTIMER.   *Auch eine Bulle, die Papst Sixtus jüngst   1490
   Von Vatikane gegen dich geschleudert,
   Kam eben an zu Reims, als ichs verließ,
   Das nächste Schiff bringt sie nach dieser Insel.
LEICESTER.   Vor solchen Waffen zittert England nicht mehr.
BURLEIGH.   Sie werden furchtbar in des Schwärmers Hand.
ELISABETH (*Mortimern forschend ansehend*).   Man gab Euch
   schuld, daß Ihr zu Reims die Schulen   1496
   Besucht und Euren Glauben abgeschworen?
MORTIMER.   *Die Miene gab ich mir, ich leugn es nicht,
   So weit ging die Begierde, dir zu dienen!
ELISABETH (*zu Paulet, der ihr Papiere überreicht*).   Was zieht
   Ihr da hervor?

PAULET.   Es ist ein Schreiben,   1500
  Das dir die Königin von Schottland sendet.

BURLEIGH (*hastig darnach greifend*).   Gebt mir den Brief.

PAULET (*gibt das Papier der Königin*).   Verzeiht,
  Lord Großschatzmeister!
  In meiner Königin selbsteigne Hand,
  Befahl sie mir, den Brief zu übergeben.
  Sie sagt mir stets, ich sei ihr Feind. Ich bin   1505
  Nur ihrer Laster Feind, was sich verträgt
  Mit meiner Pflicht, mag ich ihr gern erweisen.

(*Die Königin hat den Brief genommen. Während sie ihn liest,
sprechen Mortimer und Leicester einige Worte heimlich mit
einander.*)

BURLEIGH (*zu Paulet*).   Was kann der Brief enthalten? Eitle
  Klagen,
  Mit denen man das mitleidsvolle Herz
  Der Königin verschonen soll.

PAULET.   Was er   1510
  Enthält, hat sie mir nicht verhehlt. Sie bittet
  Um die Vergünstigung, das Angesicht
  Der Königin zu sehen.

BURLEIGH (*schnell*).   Nimmermehr!

TALBOT.   Warum nicht? Sie erfleht nichts Ungerechtes.

BURLEIGH.   Die Gunst des königlichen Angesichts   1515
  Hat sie verwirkt, die Mordanstifterin,
  Die nach dem Blut der Königin gedürstet.
  Wers treu mit seiner Fürstin meint, der kann
  Den falsch verräterischen Rat nicht geben.

TALBOT.   Wenn die Monarchin sie beglücken will,   1520
  Wollt Ihr der Gnade sanfte Regung hindern?

BURLEIGH.   Sie ist verurteilt! Unterm Beile liegt
  Ihr Haupt. Unwürdig ists der Majestät,
  Das Haupt zu sehen, das dem Tod geweiht ist.
  Das Urteil kann nicht mehr vollzogen werden,   1525
  Wenn sich die Königin ihr genahet hat,
  *Denn Gnade bringt die königliche Nähe —

ELISABETH (*nachdem sie den Brief gelesen, ihre Tränen trocknend*).
  Was ist der Mensch! Was ist das Glück der Erde!
  Wie weit ist diese Königin gebracht,
  Die mit so stolzen Hoffnungen begann,   1530
  Die auf den ältsten Thron der Christenheit
  Berufen worden, die in ihrem Sinn
  Drei Kronen schon aufs Haupt zu setzen meinte!
  Welch andre Sprache führt sie jetzt als damals,
  Da sie das Wappen Englands angenommen,   1535
  Und von den Schmeichlern ihres Hofs sich Königin
  Der zwei britannschen Inseln nennen ließ!
  — Verzeiht, Mylords, es schneidet mir ins Herz,
  Wehmut ergreift mich und die Seele blutet,
  Daß Irdisches nicht fester steht, das Schicksal   1540
  Der Menschheit, das entsetzliche, so nahe
  An meinem eignen Haupt vorüberzieht.
TALBOT. O Königin! Dein Herz hat Gott gerührt,
  Gehorche dieser himmlischen Bewegung!
  Schwer büßte sie fürwahr die schwere Schuld,   1545
  Und Zeit ists, daß die harte Prüfung ende!
  Reich ihr die Hand, der Tiefgefallenen,
  Wie eines Engels Lichterscheinung steige
  In ihres Kerkers Gräbernacht hinab —
BURLEIGH. Sei standhaft, große Königin. Laß nicht   1550
  Ein lobenswürdig menschliches Gefühl
  Dich irre führen. Raube dir nicht selbst
  Die Freiheit, das Notwendige zu tun.
  Du kannst sie nicht begnadigen, nicht retten,
  So lade nicht auf dich verhaßten Tadel,   1555
  Daß du mit grausam höhnendem Triumph
*Am Anblick deines Opfers dich geweidet.
LEICESTER. Laßt uns in unsern Schranken bleiben, Lords.
  Die Königin ist weise, sie bedarf
  Nicht unsers Rats, das Würdigste zu wählen.   1560
  Die Unterredung beider Königinnen
  Hat nichts gemein mit des Gerichtes Gang.
  Englands Gesetz, nicht der Monarchin Wille,

Verurteilt die Maria. Würdig ists
Der großen Seele der Elisabeth,   1565
Daß sie des Herzens schönem Triebe folge,
Wenn das Gesetz den strengen Lauf behält.
ELISABETH.   Geht, meine Lords. Wir werden Mittel finden,
   Was Gnade fodert, was Notwendigkeit
   Uns auferlegt, geziemend zu vereinen.   1570
   Jetzt — tretet ab!

(*Die Lords gehen. An der Türe ruft sie den Mortimer zurück.*)

Sir Mortimer! Ein Wort!

Fünfter Auftritt

ELISABETH. MORTIMER.

ELISABETH (*nachdem sie ihn einige Augenblicke forschend mit den
      Augen gemessen*).   Ihr zeigtet einen kecken Mut und seltne
   Beherrschung Eurer selbst für Eure Jahre.
   Wer schon so früh der Täuschung schwere Kunst
   Ausübte, der ist mündig vor der Zeit,   1575
   Und er verkürzt sich seine Prüfungsjahre.
   — Auf eine große Bahn ruft Euch das Schicksal,
   Ich prophezei es Euch, und mein Orakel
   Kann ich, zu Eurem Glücke! selbst vollziehn.
MORTIMER.   Erhabene Gebieterin, was ich   1580
   Vermag und bin, ist deinem Dienst gewidmet.
ELISABETH.   Ihr habt die Feinde Englands kennen lernen.
   Ihr Haß ist unversöhnlich gegen mich,
   Und unerschöpflich ihre Blutentwürfe.
   Bis diesen Tag zwar schützte mich die Allmacht,   1585
   Doch ewig wankt die Kron auf meinem Haupt,
   So lang sie lebt, die ihrem Schwärmereifer
   Den Vorwand leiht und ihre Hoffnung nährt.
MORTIMER.   Sie lebt nicht mehr, sobald du es gebietest.
ELISABETH.   Ach Sir! Ich glaubte mich am Ziele schon   1590
   Zu sehn, und bin nicht weiter als am Anfang.

Ich wollte die Gesetze handeln lassen,
Die eigne Hand vom Blute rein behalten.
Das Urteil ist gesprochen. Was gewinn ich?
Es muß vollzogen werden, Mortimer!   1595
Und ich muß die Vollziehung anbefehlen.
Mich immer trifft der Haß der Tat. Ich muß
Sie eingestehn, und kann den Schein nicht retten.
Das ist das Schlimmste!

MORTIMER.   Was bekümmert dich
Der böse Schein, bei der gerechten Sache?   1600

ELISABETH. Ihr kennt die Welt nicht, Ritter. Was man scheint,
Hat jedermann zum Richter, was man ist, hat keinen.
Von meinem Rechte überzeug ich niemand,
So muß ich Sorge tragen, daß mein Anteil
An ihrem Tod in ewgem Zweifel bleibe.   1605
Bei solchen Taten doppelter Gestalt
Gibts keinen Schutz als in der Dunkelheit.
Der schlimmste Schritt ist, den man eingesteht,
*Was man nicht aufgibt, hat man nie verloren.

MORTIMER (ausforschend). Dann wäre wohl das Beste —

ELISABETH (schnell).   Freilich wärs
Das Beste — O mein guter Engel spricht   1611
Aus Euch. Fahrt fort, vollendet, werter Sir!
Euch ist es ernst, Ihr dringet auf den Grund,
Seid ein ganz andrer Mann als Euer Oheim —

MORTIMER (betroffen). Entdecktest du dem Ritter deinen
Wunsch?   1615

ELISABETH. Mich reuet, daß ichs tat.

MORTIMER.   Entschuldige
Den alten Mann. Die Jahre machen ihn
*Bedenklich. Solche Wagestücke fodern
Den kecken Mut der Jugend —

ELISABETH (schnell).   Darf ich Euch —

MORTIMER. Die Hand will ich dir leihen, rette du   1620
Den Namen, wie du kannst —

ELISABETH.   Ja, Sir! Wenn Ihr
Mich eines Morgens mit der Botschaft wecktet:

Maria Stuart, deine blutge Feindin,
Ist heute Nacht verschieden!
MORTIMER.   Zählt auf mich.
ELISABETH. Wann wird mein Haupt sich ruhig schlafen legen?
MORTIMER. Der nächste Neumond ende deine Furcht.   1626
ELISABETH.   — Gehabt Euch wohl, Sir! Laßt es Euch nicht
    leid tun,
  *Daß meine Dankbarkeit den Flor der Nacht
   Entlehnen muß — Das Schweigen ist der Gott
   Der Glücklichen — die engsten Bande sinds,   1630
   Die zärtesten, die das Geheimnis stiftet! (*Sie geht ab.*)

Sechster Auftritt

MORTIMER *allein.*

*Geh, falsche, gleisnerische Königin!
 Wie du die Welt, so täusch ich dich. Recht ists,
 Dich zu verraten, eine gute Tat!
 Seh ich aus wie ein Mörder? Lasest du   1635
*Ruchlose Fertigkeit auf meiner Stirn?
 Trau nur auf meinen Arm und halte deinen
 Zurück, gib dir den frommen Heuchelschein
 Der Gnade vor der Welt, indessen du
 Geheim auf meine Mörderhilfe hoffst,   1640
 So werden wir zur Rettung Frist gewinnen!
 Erhöhen willst du mich — zeigst mir von ferne
 Bedeutend einen kostbarn Preis — Und wärst
 Du selbst der Preis und deine Frauengunst!
 Wer bist du Ärmste, und was kannst du geben?   1645
*Mich locket nicht des eiteln Ruhmes Geiz!
 Bei ihr nur ist des Lebens Reiz —
 Um sie, in ewgem Freudenchore, schweben
 Der Anmut Götter und der Jugendlust,
 Das Glück der Himmel ist an ihrer Brust,   1650
 Du hast nur tote Güter zu vergeben!
 Das eine Höchste, was das Leben schmückt,

Wenn sich ein Herz, entzückend und entzückt,
Dem Herzen schenkt in süßem Selbstvergessen,
Die Frauenkrone hast du nie besessen,   1655
Nie hast du liebend einen Mann beglückt!
— Ich muß den Lord erwarten, ihren Brief
Ihm übergeben. Ein verhaßter Auftrag!
Ich habe zu dem Höflinge kein Herz,
Ich selber kann sie retten, ich allein,   1660
Gefahr und Ruhm und auch der Preis sei mein!

(*Indem er gehen will, begegnet ihm Paulet.*)

Siebenter Auftritt

MORTIMER. PAULET

PAULET. Was sagte dir die Königin?
MORTIMER.   Nichts, Sir.
    Nichts — von Bedeutung.
PAULET (*fixiert ihn mit ernstem Blick*). Höre, Mortimer!
    Es ist ein schlüpfrig glatter Grund, auf den
    Du dich begeben. Lockend ist die Gunst   1665
    Der Könige, nach Ehre geizt die Jugend.
    — Laß dich den Ehrgeiz nicht verführen!
MORTIMER. Wart Ihrs nicht selbst, der an den Hof mich
    brachte?
PAULET. Ich wünschte, daß ichs nicht getan. Am Hofe
    Ward unsers Hauses Ehre nicht gesammelt.   1670
    Steh fest, mein Neffe. Kaufe nicht zu teuer!
    Verletze dein Gewissen nicht!
MORTIMER. Was fällt Euch ein? Was für Besorgnisse!
PAULET. Wie groß dich auch die Königin zu machen
    Verspricht — Trau ihrer Schmeichelrede nicht.   1675
    Verleugnen wird sie dich, wenn du gehorcht,
    Und ihren eignen Namen rein zu waschen,
    Die Bluttat rächen, die sie selbst befahl.
MORTIMER. Die Bluttat sagt Ihr —

PAULET.   Weg mit der Verstellung!
Ich weiß, was dir die Königin angesonnen,   1680
Sie hofft, daß deine ruhmbegierge Jugend
Willfährger sein wird als mein starres Alter.
Hast du ihr zugesagt? Hast du?
MORTIMER.   Mein Oheim!
PAULET. Wenn dus getan hast, so verfluch ich dich,
Und dich verwerfe —
LEICESTER (*kommt*).   Werter Sir, erlaubt   1685
Ein Wort mit Eurem Neffen. Die Monarchin
Ist gnadenvoll gesinnt für ihn, sie will,
Daß man ihm die Person der Lady Stuart
Uneingeschränkt vertraue — Sie verläßt sich
Auf seine Redlichkeit —
PAULET.   Verläßt sich — Gut!   1690
LEICESTER. Was sagt Ihr, Sir?
PAULET.   Die Königin verläßt sich
Auf ihn, und ich, Mylord, verlasse mich
Auf mich und meine beiden offnen Augen. (*Er geht ab.*)

Achter Auftritt

LEICESTER. MORTIMER

LEICESTER (*verwundert*). *Was wandelte den Ritter an?
MORTIMER. Ich weiß es nicht — Das unerwartete   1695
Vertrauen, das die Königin mir schenkt —
LEICESTER (*ihn forschend ansehend*). Verdient Ihr, Ritter, daß
man Euch vertraut?
MORTIMER (*ebenso*). Die Frage tu ich Euch, Mylord von
Leicester.
LEICESTER. Ihr hattet mir was in geheim zu sagen.
MORTIMER. Versichert mich erst, daß ichs wagen darf.   1700
LEICESTER. Wer gibt mir die Versicherung für Euch?
— Laßt Euch mein Mißtraun nicht beleidigen!
Ich seh Euch zweierlei Gesichter zeigen
An diesem Hofe — Eins darunter ist

Notwendig falsch, doch welches ist das wahre?   1705

MORTIMER.   Es geht mir ebenso mit Euch, Graf Leicester.

LEICESTER.   Wer soll nun des Vertrauens Anfang machen?

MORTIMER.   Wer das Geringere zu wagen hat.

LEICESTER.   Nun! Der seid Ihr!

MORTIMER.   Ihr seid es! Euer Zeugnis,
Des vielbedeutenden, gewaltgen Lords,   1710
Kann mich zu Boden schlagen, meins vermag
Nichts gegen Euren Rang und Eure Gunst.

LEICESTER.   Ihr irrt Euch, Sir. In allem andern bin ich
Hier mächtig, nur in diesem zarten Punkt,
Den ich jetzt Eurer Treu preisgeben soll,   1715
Bin ich der schwächste Mann an diesem Hof,
Und ein verächtlich Zeugnis kann mich stürzen.

MORTIMER.   Wenn sich der allvermögende Lord Leicester
So tief zu mir herunterläßt, ein solch
Bekenntnis mir zu tun, so darf ich wohl   1720
Ein wenig höher denken von mir selbst,
Und ihm in Großmut ein Exempel geben.

LEICESTER.   Geht mir voran im Zutraun, ich will folgen.

MORTIMER (*den Brief schnell hervorziehend*).   Dies sendet Euch
die Königin von Schottland.

LEICESTER (*schrickt zusammen und greift hastig darnach*).
Sprecht leise, Sir — Was seh ich! Ach! Es ist   1725
Ihr Bild! (*Küßt es und betrachtet es mit stummem Entzücken.*)

MORTIMER (*der ihn während des Lesens scharf beobachtet*).
Mylord, nun glaub ich Euch!

LEICESTER (*nachdem er den Brief schnell durchlaufen*).   Sir
Mortimer! Ihr wißt des Briefes Inhalt?

MORTIMER.   Nichts weiß ich.

LEICESTER.   Nun! Sie hat Euch ohne Zweifel
Vertraut —

MORTIMER.   Sie hat mir nichts vertraut. Ihr würdet
Dies Rätsel mir erklären, sagte sie.   1730
Ein Rätsel ist es mir, daß Graf von Leicester,
Der Günstling der Elisabeth, Mariens
Erklärter Feind und ihrer Richter einer,

Der Mann sein soll, von dem die Königin
In ihrem Unglück Rettung hofft — Und dennoch   1735
Muß dem so sein, denn Eure Augen sprechen
Zu deutlich aus, was Ihr für sie empfindet.

LEICESTER.   Entdeckt mir selbst erst, wie es kommt, daß Ihr
Den feurgen Anteil nehmt an ihrem Schicksal,
Und was Euch ihr Vertraun erwarb.

MORTIMER.   Mylord,   1740
Das kann ich Euch mit wenigem erklären.
Ich habe meinen Glauben abgeschworen
Zu Rom, und steh im Bündnis mit den Guisen.
Ein Brief des Erzbischofs zu Reims hat mich
Beglaubigt bei der Königin von Schottland.   1745

LEICESTER.   Ich weiß von Eurer Glaubensänderung,
Sie ists, die mein Vertrauen zu Euch weckte.
Gebt mir die Hand. Verzeiht mir meinen Zweifel.
Ich kann der Vorsicht nicht zu viel gebrauchen,
Denn Walsingham und Burleigh hassen mich,   1750
*Ich weiß, daß sie mir laurend Netze stellen.
Ihr konntet ihr Geschöpf und Werkzeug sein,
*Mich in das Garn zu ziehn —

MORTIMER.   Wie kleine Schritte
Geht ein so großer Lord an diesem Hof!
Graf! ich beklag Euch.

LEICESTER.   Freudig werf ich mich   1755
An die vertraute Freundesbrust, wo ich
Des langen Zwangs mich endlich kann entladen.
Ihr seid verwundert, Sir, daß ich so schnell
Das Herz geändert gegen die Maria.
Zwar in der Tat haßt ich sie nie — der Zwang   1760
Der Zeiten machte mich zu ihrem Gegner.
*Sie war mir zugedacht seit langen Jahren,
Ihr wißts, eh sie die Hand dem Darnley gab,
Als noch der Glanz der Hoheit sie umlachte.
Kalt stieß ich damals dieses Glück von mir,   1765
Jetzt im Gefängnis, an des Todes Pforten
Such ich sie auf, und mit Gefahr des Lebens.

MORTIMER.   Das heißt großmütig handeln!
LEICESTER.   — Die Gestalt
   Der Dinge, Sir, hat sich indes verändert.
   Mein Ehrgeiz war es, der mich gegen Jugend   1770
   Und Schönheit fühllos machte. Damals hielt ich
   Mariens Hand für mich zu klein, ich hoffte
   Auf den Besitz der Königin von England.
MORTIMER.   Es ist bekannt, daß sie Euch allen Männern
  *Vorzog —
LEICESTER.   So schien es, edler Sir — Und nun, nach zehn
   Verlornen Jahren unverdroßnen Werbens,   1776
   Verhaßten Zwangs — O Sir, mein Herz geht auf!
   Ich muß des langen Unmuts mich entladen —
   Man preist mich glücklich — wüßte man, was es
   Für Ketten sind, um die man mich beneidet —   1780
   Nachdem ich zehen bittre Jahre lang
   Dem Götzen ihrer Eitelkeit geopfert,
  *Mich jedem Wechsel ihrer Sultanslaunen
   Mit Sklavendemut unterwarf, das Spielzeug
   Des kleinen grillenhaften Eigensinns,   1785
   Geliebkost jetzt von ihrer Zärtlichkeit,
   Und jetzt mit sprödem Stolz zurückgestoßen,
   Von ihrer Gunst und Strenge gleich gepeinigt,
  *Wie ein Gefangener vom Argusblick
   Der Eifersucht gehütet, ins Verhör   1790
   Genommen wie ein Knabe, wie ein Diener
   Gescholten — O die Sprache hat kein Wort
   Für diese Hölle!
MORTIMER.   Ich beklag Euch, Graf.
LEICESTER.   Täuscht mich am Ziel der Preis! Ein andrer
  kommt,
   Die Frucht des teuren Werbens mir zu rauben.   1795
   An einen jungen blühenden Gemahl
   Verlier ich meine lang beseßnen Rechte,
   Heruntersteigen soll ich von der Bühne,
   Wo ich so lange als der Erste glänzte.
   Nicht ihre Hand allein, auch ihre Gunst   1800

Droht mir der neue Ankömmling zu rauben.
Sie ist ein Weib, und er ist liebenswert.
MORTIMER. Er ist Kathrinens Sohn. In guter Schule
Hat er des Schmeichelns Künste ausgelernt.
LEICESTER. So stürzen meine Hoffnungen — ich suche   1805
In diesem Schiffbruch meines Glücks ein Brett
Zu fassen — und mein Auge wendet sich
Der ersten schönen Hoffnung wieder zu.
Mariens Bild, in ihrer Reize Glanz,
Stand neu vor mir, Schönheit und Jugend traten   1810
In ihre vollen Rechte wieder ein,
Nicht kalter Ehrgeiz mehr, das Herz verglich,
Und ich empfand, welch Kleinod ich verloren.
Mit Schrecken seh ich sie in tiefes Elend
Herabgestürzt, gestürzt durch mein Verschulden.   1815
Da wird in mir die Hoffnung wach, ob ich
Sie jetzt noch retten könnte und besitzen.
Durch eine treue Hand gelingt es mir,
Ihr mein verändert Herz zu offenbaren,
Und dieser Brief, den Ihr mir überbracht,   1820
Versichert mir, daß sie verzeiht, sich mir
Zum Preise schenken will, wenn ich sie rette.
MORTIMER. Ihr tatet aber nichts zu ihrer Rettung!
Ihr ließt geschehn, daß sie verurteilt wurde,
Gabt Eure Stimme selbst zu ihrem Tod!   1825
Ein Wunder muß geschehn — Der Wahrheit Licht
Muß mich, den Neffen ihres Hüters, rühren,
Im Vatikan zu Rom muß ihr der Himmel
Den unverhofften Retter zubereiten,
Sonst fand sie nicht einmal den Weg zu Euch!   1830
LEICESTER. Ach, Sir, es hat mir Qualen gnug gekostet!
Um selbe Zeit ward sie von Talbots Schloß
Nach Fotheringhay weg geführt, der strengen
Gewahrsam Eures Oheims anvertraut.
Gehemmt ward jeder Weg zu ihr, ich mußte   1835
Fortfahren vor der Welt, sie zu verfolgen.
Doch denkt nicht, daß ich sie leidend hätte

Zum Tode gehen lassen! Nein, ich hoffte,
Und hoffe noch, das Äußerste zu hindern,
Bis sich ein Mittel zeigt, sie zu befrein. 1840

MORTIMER. Das ist gefunden — Leicester, Euer edles
Vertraun verdient Erwiderung. Ich will sie
*Befreien, darum bin ich hier, die Anstalt
Ist schon getroffen, Euer mächtger Beistand
Versichert uns den glücklichen Erfolg. 1845

LEICESTER. Was sagt Ihr? Ihr erschreckt mich. Wie? Ihr
wolltet —

MORTIMER. Gewaltsam auftun will ich ihren Kerker,
Ich hab Gefährten, alles ist bereit —

LEICESTER. Ihr habt Mitwisser und Vertraute! Weh mir!
In welches Wagnis reißt Ihr mich hinein! 1850
Und diese wissen auch um mein Geheimnis?

MORTIMER. Sorgt nicht. Der Plan ward ohne Euch entworfen,
Ohn Euch wär er vollstreckt, bestünde sie
Nicht drauf, Euch ihre Rettung zu verdanken.

LEICESTER. So könnt Ihr mich für ganz gewiß versichern, 1855
Daß in dem Bund mein Name nicht genannt ist?

MORTIMER. Verlaßt Euch drauf! Wie? So bedenklich, Graf,
Bei einer Botschaft, die Euch Hülfe bringt!
Ihr wollt die Stuart retten und besitzen,
Ihr findet Freunde, plötzlich, unerwartet, 1860
*Vom Himmel fallen Euch die nächsten Mittel —
Doch zeigt Ihr mehr Verlegenheit als Freude?

LEICESTER. *Es ist nichts mit Gewalt. Das Wagestück
Ist zu gefährlich.

MORTIMER.   Auch das Säumen ists!

LEICESTER. Ich sag Euch, Ritter, es ist nicht zu wagen. 1865

MORTIMER (bitter). Nein, nicht für Euch, der sie besitzen will!
Wir wollen sie bloß retten, und sind nicht so
*Bedenklich —

LEICESTER.   Junger Mann, Ihr seid zu rasch
In so gefährlich dornenvoller Sache.

MORTIMER. Ihr — sehr bedacht in solchem Fall der Ehre. 1870

LEICESTER. Ich seh die Netze, die uns rings umgeben.

MORTIMER.   Ich fühle Mut, sie alle zu durchreißen.

LEICESTER.   Tollkühnheit, Raserei ist dieser Mut.

MORTIMER.   Nicht Tapferkeit ist diese Klugheit, Lord.

LEICESTER.   Euch lüstets wohl, wie Babington zu enden?   1875

MORTIMER.   Euch nicht, des Norfolks Großmut nachzuah-
men.

LEICESTER.   Norfolk hat seine Braut nicht heimgeführt.

MORTIMER.   Er hat bewiesen, daß ers würdig war.

LEICESTER.   *Wenn wir verderben, reißen wir sie nach.

MORTIMER.   Wenn wir uns schonen, wird sie nicht gerettet.

LEICESTER.   Ihr überlegt nicht, hört nicht, werdet alles   1881
Mit heftig blindem Ungestüm zerstören,
Was auf so guten Weg geleitet war.

MORTIMER.   Wohl auf den guten Weg, den Ihr gebahnt?
Was habt Ihr denn getan, um sie zu retten?   1885
— Und wie? Wenn ich nun Bube gnug gewesen,
Sie zu ermorden, wie die Königin
Mir anbefahl, wie sie zu dieser Stunde
Von mir erwartet — Nennt mir doch die Anstalt,
Die Ihr gemacht, ihr Leben zu erhalten.   1890

LEICESTER (erstaunt).   Gab Euch die Königin diesen Blutbefehl?

MORTIMER.   Sie irrte sich in mir, wie sich Maria
In Euch.

LEICESTER.   Und Ihr habt zugesagt? Habt Ihr?

MORTIMER.   Damit sie andre Hände nicht erkaufe,
Bot ich die meinen an.

LEICESTER.   Ihr tatet wohl.   1895
Dies kann uns Raum verschaffen. Sie verläßt sich
Auf Euren blutgen Dienst, das Todesurteil
Bleibt unvollstreckt, und wir gewinnen Zeit —

MORTIMER (ungeduldig).   Nein, wir verlieren Zeit!

LEICESTER.   Sie zählt auf Euch,
*So minder wird sie Anstand nehmen, sich   1900
Den Schein der Gnade vor der Welt zu geben.
Vielleicht, daß ich durch List sie überrede,
Das Angesicht der Gegnerin zu sehn,

Und dieser Schritt muß ihr die Hände binden.
Burleigh hat Recht. Das Urteil kann nicht mehr   1905
Vollzogen werden, wenn sie sie gesehn.
— Ja ich versuch es, alles biet ich auf —
MORTIMER.   Und was erreicht Ihr dadurch? Wenn sie sich
    In mir getäuscht sieht, wenn Maria fortfährt
    Zu leben — Ist nicht alles wie zuvor?   1910
    Frei wird sie niemals! Auch das Mildeste,
    Was kommen kann, ist ewiges Gefängnis.
    Mit einer kühnen Tat müßt Ihr doch enden,
    Warum wollt Ihr nicht gleich damit beginnen?
    In Euren Händen ist die Macht, Ihr bringt   1915
    Ein Heer zusammen, wenn Ihr nur den Adel
    Auf Euren vielen Schlössern waffnen wollt!
    Maria hat noch viel verborgne Freunde,
  *Der Howard und der Percy edle Häuser,
    Ob ihre Häupter gleich gestürzt, sind noch   1920
    An Helden reich, sie harren nur darauf,
    Daß ein gewaltger Lord das Beispiel gebe!
    Weg mit Verstellung! Handelt öffentlich!
    Verteidigt als ein Ritter die Geliebte,
    Kämpft einen edeln Kampf um sie. Ihr seid   1925
    Herr der Person der Königin von England,
    Sobald Ihr wollt. Lockt sie auf Eure Schlösser,
    Sie ist Euch oft dahin gefolgt. Dort zeigt ihr
    Den Mann! Sprecht als Gebieter! Haltet sie
    Verwahrt, bis sie die Stuart frei gegeben!   1930
LEICESTER.   Ich staune, ich entsetze mich — Wohin
  *Reißt Euch der Schwindel? — Kennt Ihr diesen Boden?
    Wißt Ihr, wie's steht an diesem Hof, wie eng
    Dies Frauenreich die Geister hat gebunden?
    Sucht nach dem Heldengeist, der ehmals wohl   1935
    In diesem Land sich regte — Unterworfen
    Ist alles, unterm Schlüssel eines Weibes,
  *Und jedes Mutes Federn abgespannt.
    Folgt meiner Leitung. Wagt nichts unbedachtsam.
    — Ich höre kommen, geht.

MORTIMER.   Maria hofft!   1940
  Kehr ich mit leerem Trost zu ihr zurück?
LEICESTER. Bringt ihr die Schwüre meiner ewgen Liebe!
MORTIMER. Bringt ihr die selbst! Zum Werkzeug ihrer Rettung
  Bot ich mich an, nicht Euch zum Liebesboten! (*Er geht ab.*)

Neunter Auftritt

ELISABETH. LEICESTER

ELISABETH. Wer ging da von Euch weg? Ich hörte sprechen.
LEICESTER (*sich auf ihre Rede schnell und erschrocken umwendend*).
  Es war Sir Mortimer.
ELISABETH.   Was ist Euch, Lord?   1946
  *So ganz betreten?
LEICESTER (*faßt sich*). — Über deinen Anblick!
  Ich habe dich so reizend nie gesehn,
  Geblendet steh ich da von deiner Schönheit.
  — Ach!
ELISABETH. Warum seufzt Ihr?
LEICESTER.   Hab ich keinen Grund   1950
  Zu seufzen? Da ich deinen Reiz betrachte,
  Erneut sich mir der namenlose Schmerz
  Des drohenden Verlustes.
ELISABETH.   Was verliert Ihr?
LEICESTER. Dein Herz, dein liebenswürdig Selbst verlier ich.
  Bald wirst du in den jugendlichen Armen   1955
  Des feurigen Gemahls dich glücklich fühlen,
  Und ungeteilt wird er dein Herz besitzen.
  Er ist von königlichem Blut, das bin
  Ich nicht, doch Trotz sei aller Welt geboten,
  Ob einer lebt auf diesem Erdenrund,   1960
  Der mehr Anbetung für dich fühlt als ich.
  Der Duc von Anjou hat dich nie gesehn,
  Nur deinen Ruhm und Schimmer kann er lieben.
  Ich liebe Dich. Wärst du die ärmste Hirtin,

Ich als der größte Fürst der Welt geboren, 1965
Zu deinem Stand würd ich herunter steigen,
Mein Diadem zu deinen Füßen legen.

ELISABETH. Beklag mich, Dudley, schilt mich nicht — Ich darf
    ja
Mein Herz nicht fragen. Ach! das hätte anders
Gewählt. Und wie beneid ich andre Weiber, 1970
Die das erhöhen dürfen, was sie lieben.
So glücklich bin ich nicht, daß ich dem Manne,
Der mir vor allen teuer ist, die Krone
Aufsetzen kann! — Der Stuart wards vergönnt,
Die Hand nach ihrer Neigung zu verschenken, 1975
Die hat sich jegliches erlaubt, sie hat
Den vollen Kelch der Freuden ausgetrunken.

LEICESTER. Jetzt trinkt sie auch den bittern Kelch des Leidens.

ELISABETH. Sie hat der Menschen Urteil nichts geachtet.
Leicht wurd es ihr zu leben, nimmer lud sie 1980
Das Joch sich auf, dem ich mich unterwarf.
Hätt ich doch auch Ansprüche machen können,
Des Lebens mich, der Erde Lust zu freun,
Doch zog ich strenge Königspflichten vor.
Und doch gewann sie aller Männer Gunst, 1985
Weil sie sich nur befliß, ein Weib zu sein,
Und um sie buhlt die Jugend und das Alter.
So sind die Männer. Lüstlinge sind alle!
Dem Leichtsinn eilen sie, der Freude zu,
Und schätzen nichts, was sie verehren müssen. 1990
Verjüngte sich nicht dieser Talbot selbst,
Als er auf ihren Reiz zu reden kam!

LEICESTER. Vergib es ihm. Er war ihr Wächter einst,
Die Listge hat mit Schmeicheln ihn betört.

ELISABETH. Und ists denn wirklich wahr, daß sie so schön ist?
*So oft mußt ich die Larve rühmen hören, 1996
Wohl möcht ich wissen, was zu glauben ist.
Gemälde schmeicheln, Schilderungen lügen,
Nur meinen eignen Augen würd ich traun.
— Was schaut Ihr mich so seltsam an?

LEICESTER.   Ich stellte   2000
   Dich in Gedanken neben die Maria.
   — Die Freude wünscht ich mir, ich berg es nicht,
   Wenn es ganz in geheim geschehen könnte,
   Der Stuart gegenüber dich zu sehn!
   Dann solltest du erst deines ganzen Siegs   2005
   Genießen! Die Beschämung gönn ich ihr,
   Daß sie mit eignen Augen — denn der Neid
   Hat scharfe Augen — überzeugt sich sähe,
   Wie sehr sie auch an Adel der Gestalt
   Von dir besiegt wird, der sie so unendlich   2010
   In jeder andern würdgen Tugend weicht.
ELISABETH.   Sie ist die Jüngere an Jahren.
LEICESTER.   Jünger!
   Man siehts ihr nicht an. Freilich ihre Leiden!
   Sie mag wohl vor der Zeit gealtert haben.
   Ja, und was ihre Kränkung bittrer machte,   2015
   Das wäre, dich als Braut zu sehn! Sie hat
   Des Lebens schöne Hoffnung hinter sich,
   Dich sähe sie dem Glück entgegen schreiten!
   Und als die Braut des Königssohns von Frankreich,
  *Da sie sich stets so viel gewußt, so stolz   2020
   Getan mit der französischen Vermählung,
 *Noch jetzt auf Frankreichs mächtge Hilfe pocht!
ELISABETH (*nachlässig hinwerfend*).   *Man peinigt mich ja sie
   zu sehn.
LEICESTER (*lebhaft*).   Sie foderts
   Als eine Gunst, gewähr es ihr als Strafe!
   Du kannst sie auf das Blutgerüste führen,   2025
   Es wird sie minder peinigen, als sich
   Von deinen Reizen ausgelöscht zu sehn.
   Dadurch ermordest du sie, wie sie dich
   Ermorden wollte — Wenn sie deine Schönheit
   Erblickt, durch Ehrbarkeit bewacht, in Glorie   2030
   Gestellt durch einen unbefleckten Tugendruf,
   Den sie, leichtsinnig buhlend, von sich warf,
   Erhoben durch der Krone Glanz, und jetzt

Durch zarte Bräutlichkeit geschmückt — dann hat
Die Stunde der Vernichtung ihr geschlagen.   2035
Ja — wenn ich jetzt die Augen auf dich werfe —
Nie warst du, nie zu einem Sieg der Schönheit
Gerüsteter als eben jetzt — Mich selbst
Hast du umstrahlt wie eine Lichterscheinung,
Als du vorhin ins Zimmer tratest — Wie?   2040
Wenn du gleich jetzt, jetzt wie du bist, hinträtest
Vor sie, du findest keine schönre Stunde —

ELISABETH. Jetzt — Nein — Nein — Jetzt nicht, Leicester —
    Nein, das muß ich
Erst wohl bedenken — mich mit Burleigh —

LEICESTER (*lebhaft einfallend*).   Burleigh!
    Der denkt allein auf deinen Staatsvorteil,   2045
    Auch deine Weiblichkeit hat ihre Rechte,
    Der zarte Punkt gehört vor Dein Gericht,
    Nicht vor des Staatsmanns — ja auch Staatskunst will es,
    Daß du sie siehst, die öffentliche Meinung
    Durch eine Tat der Großmut dir gewinnest!   2050
    Magst du nachher dich der verhaßten Feindin,
    Auf welche Weise dirs gefällt, entladen.

ELISABETH. Nicht wohlanständig wär mirs, die Verwandte
    Im Mangel und in Schmach zu sehn. Man sagt,
    Daß sie nicht königlich umgeben sei,   2055
   *Vorwerfend wär mir ihres Mangels Anblick.

LEICESTER. Nicht ihrer Schwelle brauchst du dich zu nahn.
    Hör meinen Rat. Der Zufall hat es eben
    Nach Wunsch gefügt. Heut ist das große Jagen,
    An Fotheringhay führt der Weg vorbei,   2060
    Dort kann die Stuart sich im Park ergehn,
    Du kommst ganz wie von ohngefähr dahin,
    Es darf nichts als vorher bedacht erscheinen,
   *Und wenn es dir zuwider, redest du
    Sie gar nicht an —

ELISABETH.   Begeh ich eine Torheit,   2065
    So ist es Eure, Leicester, nicht die meine.
    Ich will Euch heute keinen Wunsch versagen,

Weil ich von meinen Untertanen allen
Euch heut am wehesten getan.

(Ihn zärtlich ansehend.)

Seis eine Grille nur von Euch. Dadurch   2070
Gibt Neigung sich ja kund, daß sie bewilligt
Aus freier Gunst, was sie auch nicht gebilligt.

(Leicester stürzt zu ihren Füßen, der Vorhang fällt.)

DRITTER AUFZUG

Gegend in einem Park. Vorn mit Bäumen besetzt, hinten eine weite Aussicht

Erster Auftritt

MARIA *tritt in schnellem Lauf hinter Bäumen hervor.* HANNA KENNEDY *folgt langsam.*

KENNEDY. Ihr eilet ja, als wenn Ihr Flügel hättet,
  So kann ich Euch nicht folgen, wartet doch!
MARIA. *Laß mich der neuen Freiheit genießen,   2075
  Laß mich ein Kind sein, sei es mit!
  Und auf dem grünen Teppich der Wiesen
  Prüfen den leichten, geflügelten Schritt.
  Bin ich dem finstern Gefängnis entstiegen,
  Hält sie mich nicht mehr, die traurige Gruft?   2080
  Laß mich in vollen, in durstigen Zügen
  Trinken die freie, die himmlische Luft.
KENNEDY. O meine teure Lady! Euer Kerker
  Ist nur um ein klein weniges erweitert.
  Ihr seht nur nicht die Mauer, die uns einschließt,   2085
  Weil sie der Bäume dicht Gesträuch versteckt.
MARIA. O Dank, Dank diesen freundlich grünen Bäumen,
  Die meines Kerkers Mauern mir verstecken!
  Ich will mich frei und glücklich träumen,
  Warum aus meinem süßen Wahn mich wecken?   2090
  Umfängt mich nicht der weite Himmelsschoß?
  Die Blicke, frei und fessellos,
  Ergehen sich in ungemeßnen Räumen.
  Dort, wo die grauen Nebelberge ragen,
  Fängt meines Reiches Grenze an,   2095
  Und diese Wolken, die nach Mittag jagen,
  Sie suchen Frankreichs fernen Ozean.
    Eilende Wolken! Segler der Lüfte!

Wer mit euch wanderte, mit euch schiffte!
Grüßet mir freundlich mein Jugendland!   2100
Ich bin gefangen, ich bin in Banden,
Ach, ich hab keinen andern Gesandten!
Frei in Lüften ist eure Bahn,
Ihr seid nicht dieser Königin untertan.

KENNEDY.   Ach, teure Lady! Ihr seid außer Euch,   2105
*Die langentbehrte Freiheit macht Euch schwärmen.

MARIA.   Dort legt ein Fischer den Nachen an!
Dieses elende Werkzeug könnte mich retten,
Brächte mich schnell zu befreundeten Städten.
Spärlich nährt es den dürftigen Mann.   2110
Beladen wollt ich ihn reich mit Schätzen,
Einen Zug sollt er tun, wie er keinen getan,
Das Glück sollt er finden in seinen Netzen,
Nähm er mich ein in den rettenden Kahn.

KENNEDY.   Verlorne Wünsche! Seht Ihr nicht, daß uns   2115
*Von ferne dort die Spähertritte folgen?
Ein finster grausames Verbot scheucht jedes
Mitleidige Geschöpf aus unserm Wege.

MARIA.   Nein, gute Hanna. Glaub mir, nicht umsonst
Ist meines Kerkers Tor geöffnet worden.   2120
Die kleine Gunst ist mir des größern Glücks
Verkünderin. Ich irre nicht. Es ist
Der Liebe tätge Hand, der ich sie danke.
Lord Leicesters mächtgen Arm erkenn ich drin.
Allmählich will man mein Gefängnis weiten,   2125
Durch Kleineres zum Größern mich gewöhnen,
Bis ich das Antlitz dessen endlich schaue,
Der mir die Bande löst auf immerdar.

KENNEDY.   *Ach, ich kann diesen Widerspruch nicht reimen!
Noch gestern kündigt man den Tod Euch an,   2130
Und heute wird Euch plötzlich solche Freiheit.
Auch denen, hört ich sagen, wird die Kette
Gelöst, auf die die ewge Freiheit wartet.

MARIA.   Hörst du das Hifthorn? Hörst dus klingen,
Mächtigen Rufes, durch Feld und Hain?   2135

Ach, auf das mutige Roß mich zu schwingen,
An den fröhlichen Zug mich zu reihn!
Noch mehr! O die bekannte Stimme,
Schmerzlich süßer Erinnerung voll.
Oft vernahm sie mein Ohr mit Freuden,   2140
Auf des Hochlands bergigten Heiden,
Wenn die tobende Jagd erscholl.

Zweiter Auftritt

PAULET. DIE VORIGEN

PAULET. Nun! Hab ichs endlich recht gemacht, Mylady?
    Verdien ich einmal Euern Dank?
MARIA.   Wie, Ritter?
    Seid Ihrs, der diese Gunst mir ausgewirkt?   2145
    Ihr seids?
PAULET.   Warum soll ichs nicht sein? Ich war
    Am Hof, ich überbrachte Euer Schreiben —
MARIA. Ihr übergabt es? Wirklich, tatet Ihrs?
    Und diese Freiheit, die ich jetzt genieße,
    Ist eine Frucht des Briefs —
PAULET (*mit Bedeutung*).   Und nicht die einzge!   2150
    Macht Euch auf eine größre noch gefaßt.
MARIA. Auf eine größre, Sir? Was meint Ihr damit?
PAULET. Ihr hörtet doch die Hörner —
*MARIA (*zurückfahrend, mit Ahndung*). Ihr erschreckt mich!
PAULET. Die Königin jagt in dieser Gegend.
MARIA.   Was?
PAULET. In wenig Augenblicken steht sie vor Euch.   2155
KENNEDY (*auf Maria zueilend, welche zittert und hinzusinken
    droht*). *Wie wird Euch, teure Lady! Ihr verblaßt.
PAULET. Nun? Ists nun nicht recht? Wars nicht Eure Bitte?
    Sie wird Euch früher gewährt, als Ihr gedacht.
    Ihr wart sonst immer so geschwinder Zunge,
    Jetzt bringet Eure Worte an, jetzt ist   2160
    Der Augenblick zu reden!

MARIA. O warum hat man mich nicht vorbereitet!
    Jetzt bin ich nicht darauf gefaßt, jetzt nicht.
    Was ich mir als die höchste Gunst erbeten,
    Dünkt mir jetzt schrecklich, fürchterlich — Komm, Hanna,
    Führ mich ins Haus, daß ich mich fasse, mich   2166
    Erhole —
PAULET.   Bleibt. Ihr müßt sie hier erwarten.
    Wohl, wohl mags Euch beängstigen, ich glaubs,
    Vor Eurem Richter zu erscheinen.

Dritter Auftritt

GRAF SHREWSBURY *zu den* VORIGEN.

MARIA. Es ist nicht darum! Gott, mir ist ganz anders   2170
    Zu Mut — Ach edler Shrewsbury! Ihr kommt,
    Vom Himmel mir ein Engel zugesendet!
    — Ich kann sie nicht sehn! Rettet, rettet mich
    Von dem verhaßten Anblick —
SHREWSBURY.   Kommt zu Euch, Königin! Faßt Euren Mut
    Zusammen. Das ist die entscheidungsvolle Stunde.   2176
MARIA.   Ich habe drauf geharret — Jahre lang
    Mich drauf bereitet, alles hab ich mir
    Gesagt und ins Gedächtnis eingeschrieben,
    Wie ich sie rühren wollte und bewegen!   2180
    Vergessen plötzlich, ausgelöscht ist alles,
    Nichts lebt in mir in diesem Augenblick,
    Als meiner Leiden brennendes Gefühl.
    In blutgen Haß gewendet wider sie
    Ist mir das Herz, es fliehen alle guten   2185
  *Gedanken, und die Schlangenhaare schüttelnd
    Umstehen mich die finstern Höllengeister.
SHREWSBURY.   Gebietet Eurem wild empörten Blut,
    Bezwingt des Herzens Bitterkeit! Es bringt
    Nicht gute Frucht, wenn Haß dem Haß begegnet.   2190

Wie sehr auch Euer Innres widerstrebe,
Gehorcht der Zeit und dem Gesetz der Stunde!
Sie ist die Mächtige — demütigt Euch!
MARIA. Vor ihr! Ich kann es nimmermehr.
SHREWSBURY.   Tuts dennoch!
Sprecht ehrerbietig, mit Gelassenheit!   2195
Ruft ihre Großmut an, trotzt nicht, jetzt nicht
Auf Euer Recht, jetzo ist nicht die Stunde.
MARIA. Ach mein Verderben hab ich mir erfleht,
Und mir zum Fluche wird mein Flehn erhört!
Nie hätten wir uns sehen sollen, niemals!   2200
Daraus kann nimmer, nimmer Gutes kommen!
Eh mögen Feur und Wasser sich in Liebe
Begegnen und das Lamm den Tiger küssen —
Ich bin zu schwer verletzt — sie hat zu schwer
Beleidigt — Nie ist zwischen uns Versöhnung!   2205
SHREWSBURY. Seht sie nur erst von Angesicht!
Ich sah es ja, wie sie von Eurem Brief
Erschüttert war, ihr Auge schwamm in Tränen.
Nein, sie ist nicht gefühllos, hegt Ihr selbst
Nur besseres Vertrauen — Darum eben   2210
Bin ich voraus geeilt, damit ich Euch
In Fassung setzen und ermahnen möchte.
MARIA (seine Hand ergreifend). Ach Talbot! Ihr wart stets
mein Freund — daß ich
In Eurer milden Haft geblieben wäre!
*Es ward mir hart begegnet, Shrewsbury!   2215
SHREWSBURY. *Vergeßt jetzt alles. Darauf denkt allein,
Wie Ihr sie unterwürfig wollt empfangen.
MARIA. Ist Burleigh auch mit ihr, mein böser Engel?
SHREWSBURY. Niemand begleitet sie als Graf von Leicester.
MARIA. Lord Leicester!
SHREWSBURY.   Fürchtet nichts von ihm. Nicht er
Will Euren Untergang — Sein Werk ist es,   2221
Daß Euch die Königin die Zusammenkunft
Bewilligt.
MARIA.   Ach! Ich wußt es wohl!

SHREWSBURY.   Was sagt Ihr?
PAULET.   Die Königin kommt!

(*Alles weicht auf die Seite; nur Maria bleibt, auf die Kennedy
gelehnt.*)

Vierter Auftritt

DIE VORIGEN. ELISABETH. GRAF LEICESTER.
GEFOLGE

ELISABETH (*zu Leicester*). Wie heißt der Landsitz?
LEICESTER.   Fotheringhayschloß.
ELISABETH (*zu Shrewsbury*).   Schickt unser Jagdgefolg voraus
    nach London,   2226
    Das Volk drängt allzuheftig in den Straßen,
    Wir suchen Schutz in diesem stillen Park.

(*Talbot entfernt das Gefolge. Sie fixiert mit den Augen die Maria,
indem sie zu Paulet weiter spricht.*)

    Mein gutes Volk liebt mich zu sehr. Unmäßig,
    Abgöttisch sind die Zeichen seiner Freude,   2230
    So ehrt man einen Gott, nicht einen Menschen.
MARIA (*welche diese Zeit über halb ohnmächtig auf die Amme
    gelehnt war, erhebt sich jetzt und ihr Auge begegnet dem
    gespannten Blick der Elisabeth. Sie schaudert zusammen und
    wirft sich wieder an der Amme Brust*).
    O Gott, aus diesen Zügen spricht kein Herz!
ELISABETH.   Wer ist die Lady?

(*Ein allgemeines Schweigen.*)

LEICESTER. — Du bist zu Fotheringhay, Königin.
ELISABETH (*stellt sich überrascht und erstaunt, einen finstern Blick
    auf Leicestern richtend*).   Wer hat mir das getan? Lord
    Leicester!   2235
LEICESTER. Es ist geschehen, Königin — Und nun
    Der Himmel deinen Schritt hieher gelenkt,
    So laß die Großmut und das Mitleid siegen.

SHREWSBURY. Laß dich erbitten, königliche Frau,
Dein Aug auf die Unglückliche zu richten,   2240
Die hier vergeht vor deinem Anblick.

*(Maria rafft sich zusammen und will auf die Elisabeth zugehen,
steht aber auf halbem Weg schaudernd still, ihre Gebärden drücken
den heftigsten Kampf aus.)*

ELISABETH.   Wie, Mylords?
Wer war es denn, der eine Tiefgebeugte
Mir angekündigt? Eine Stolze find ich,
*Vom Unglück keineswegs geschmeidigt.
MARIA.   Seis!
Ich will mich auch noch diesem unterwerfen.   2245
Fahr hin, ohnmächtger Stolz der edeln Seele!
Ich will vergessen, wer ich bin, und was
Ich litt, ich will vor ihr mich niederwerfen,
Die mich in diese Schmach herunterstieß.

(Sie wendet sich gegen die Königin.)

Der Himmel hat für Euch entschieden, Schwester!   2250
Gekrönt vom Sieg ist Euer glücklich Haupt,
Die Gottheit bet ich an, die Euch erhöhte!

(Sie fällt vor ihr nieder.)

Doch seid auch Ihr nun edelmütig, Schwester!
Laßt mich nicht schmachvoll liegen, Eure Hand
Streckt aus, reicht mir die königliche Rechte,   2255
Mich zu erheben von dem tiefen Fall.
ELISABETH *(zurücktretend)*. Ihr seid an Eurem Platz, Lady
    Maria!
Und dankend preis ich meines Gottes Gnade,
Der nicht gewollt, daß ich zu Euren Füßen
So liegen sollte, wie Ihr jetzt zu meinen.   2260
MARIA *(mit steigendem Affekt)*. Denkt an den Wechsel alles
    Menschlichen!
Es leben Götter, die den Hochmut rächen!
Verehret, fürchtet sie, die schrecklichen,

Die mich zu Euren Füßen niederstürzen —
Um dieser fremden Zeugen willen, ehrt   2265
In mir Euch selbst, entweihet, schändet nicht
Das Blut der Tudor, das in meinen Adern
Wie in den Euren fließt — O Gott im Himmel!
Steht nicht da, schroff und unzugänglich, wie
Die Felsenklippe, die der Strandende   2270
Vergeblich ringend zu erfassen strebt.
Mein Alles hängt, mein Leben, mein Geschick,
An meiner Worte, meiner Tränen Kraft,
Löst mir das Herz, daß ich das Eure rühre!
Wenn Ihr mich anschaut mit dem Eisesblick,   2275
Schließt sich das Herz mir schaudernd zu, der Strom
Der Tränen stockt, und kaltes Grausen fesselt
Die Flehensworte mir im Busen an.

ELISABETH (*kalt und streng*).   Was habt Ihr mir zu sagen, Lady
    Stuart?

Ihr habt mich sprechen wollen. Ich vergesse   2280
Die Königin, die schwer beleidigte,
Die fromme Pflicht der Schwester zu erfüllen,
Und meines Anblicks Trost gewähr ich Euch.
Dem Trieb der Großmut folg ich, setze mich
Gerechtem Tadel aus, daß ich so weit   2285
Herunter steige — denn Ihr wißt,
Daß Ihr mich habt ermorden lassen wollen.

MARIA.   Womit soll ich den Anfang machen, wie
Die Worte klüglich stellen, daß sie Euch
Das Herz ergreifen, aber nicht verletzen!   2290
O Gott, gib meiner Rede Kraft, und nimm
Ihr jeden Stachel, der verwunden könnte!
Kann ich doch für mich selbst nicht sprechen, ohne Euch
Schwer zu verklagen, und das will ich nicht.
— Ihr habt an mir gehandelt, wie nicht recht ist,   2295
Denn ich bin eine Königin wie Ihr,
Und Ihr habt als Gefangne mich gehalten,
Ich kam zu Euch als eine Bittende,
Und Ihr, des Gastrechts heilige Gesetze,

Der Völker heilig Recht in mir verhöhnend,   2300
Schloßt mich in Kerkermauern ein, die Freunde,
Die Diener werden grausam mir entrissen,
Unwürdgem Mangel werd ich preisgegeben,
Man stellt mich vor ein schimpfliches Gericht —
Nichts mehr davon! Ein'ewiges Vergessen   2305
Bedecke, was ich Grausames erlitt.
— Seht! Ich will alles eine Schickung nennen,
Ihr seid nicht schuldig, ich bin auch nicht schuldig,
Ein böser Geist stieg aus dem Abgrund auf,
Den Haß in unsern Herzen zu entzünden,   2310
Der unsre zarte Jugend schon entzweit.
*Er wuchs mit uns, und böse Menschen fachten
Der unglückselgen Flamme Atem zu.
Wahnsinnge Eiferer bewaffneten
Mit Schwert und Dolch die unberufne Hand —   2315
Das ist das Fluchgeschick der Könige,
Daß sie, entzweit, die Welt in Haß zerreißen,
Und jeder Zwietracht Furien entfesseln.
— Jetzt ist kein fremder Mund mehr zwischen uns,

(*nähert sich ihr zutraulich und mit schmeichelndem Ton*)

Wir stehn einander selbst nun gegenüber.   2320
Jetzt, Schwester, redet! Nennt mir meine Schuld,
Ich will Euch völliges Genügen leisten.
Ach, daß Ihr damals mir Gehör geschenkt,
Als ich so dringend Euer Auge suchte!
Es wäre nie so weit gekommen, nicht   2325
An diesem traurgen Ort geschähe jetzt
Die unglückselig traurige Begegnung.
ELISABETH.   Mein guter Stern bewahrte mich davor,
Die Natter an den Busen mir zu legen.
— Nicht die Geschicke, Euer schwarzes Herz   2330
Klagt an, die wilde Ehrsucht Eures Hauses.
Nichts Feindliches war zwischen uns geschehn,
*Da kündigte mir Euer Ohm, der stolze,
Herrschwütge Priester, der die freche Hand

E

Nach allen Kronen streckt, die Fehde an,   2335
Betörte Euch, mein Wappen anzunehmen,
Euch meine Königstitel zuzueignen,
Auf Tod und Leben in den Kampf mit mir
Zu gehn — Wen rief er gegen mich nicht auf?
Der Priester Zungen und der Völker Schwert,   2340
Des frommen Wahnsinns fürchterliche Waffen,
Hier selbst, im Friedenssitze meines Reichs,
Blies er mir der Empörung Flammen an —
Doch Gott ist mit mir, und der stolze Priester
Behält das Feld nicht — Meinem Haupte war   2345
Der Streich gedrohet, und das Eure fällt!

MARIA. Ich steh in Gottes Hand. Ihr werdet Euch
So blutig Eurer Macht nicht überheben —

ELISABETH. *Wer soll mich hindern? Euer Oheim gab
Das Beispiel allen Königen der Welt,   2350
Wie man mit seinen Feinden Frieden macht,
Die Sankt Barthelemi sei meine Schule!
Was ist mir Blutsverwandtschaft, Völkerrecht?
Die Kirche trennet aller Pflichten Band,
Den Treubruch heiligt sie, den Königsmord,   2355
Ich übe nur, was Eure Priester lehren.
Sagt! Welches Pfand gewährte mir für Euch,
Wenn ich großmütig Eure Bande löste?
Mit welchem Schloß verwahr ich Eure Treue,
Das nicht Sankt Peters Schlüssel öffnen kann?   2360
Gewalt nur ist die einzge Sicherheit,
Kein Bündnis ist mit dem Gezücht der Schlangen.

MARIA. O das ist Euer traurig finstrer Argwohn!
Ihr habt mich stets als eine Feindin nur
Und Fremdlingin betrachtet. Hättet Ihr   2365
Zu Eurer Erbin mich erklärt, wie mir
Gebührt, so hätten Dankbarkeit und Liebe
Euch eine treue Freundin und Verwandte
In mir erhalten.

ELISABETH.   Draußen, Lady Stuart,
Ist Eure Freundschaft, Euer Haus das Papsttum,   2370

Der Mönch ist Euer Bruder — Euch, zur Erbin
Erklären! Der verräterische Fallstrick!
Daß Ihr bei meinem Leben noch mein Volk
*Verführtet, eine listige Armida
  Die edle Jugend meines Königreichs   2375
In Eurem Buhlernetze schlau verstricktet —
Daß alles sich der neu aufgehnden Sonne
Zuwendete, und ich —

MARIA.   Regiert in Frieden!
Jedwedem Anspruch auf dies Reich entsag ich.
Ach, meines Geistes Schwingen sind gelähmt,   2380
Nicht Größe lockt mich mehr — Ihr habts erreicht,
Ich bin nur noch der Schatten der Maria.
Gebrochen ist in langer Kerkerschmach
Der edle Mut — Ihr habt das Äußerste an mir
Getan, habt mich zerstört in meiner Blüte!   2385
— Jetzt macht ein Ende, Schwester. Sprecht es aus,
Das Wort, um dessentwillen Ihr gekommen,
Denn nimmer will ich glauben, daß Ihr kamt,
Um Euer Opfer grausam zu verhöhnen.
Sprecht dieses Wort aus. Sagt mir: 'Ihr seid frei,   2390
Maria! Meine Macht habt Ihr gefühlt,
Jetzt lernet meinen Edelmut verehren.'
Sagts, und ich will mein Leben, meine Freiheit
Als ein Geschenk aus Eurer Hand empfangen.
— Ein Wort macht alles ungeschehn. Ich warte   2395
Darauf. O laßt michs nicht zu lang erharren!
Weh Euch, wenn Ihr mit diesem Wort nicht endet!
Denn wenn Ihr jetzt nicht segenbringend, herrlich,
Wie eine Gottheit von mir scheidet — Schwester!
Nicht um dies ganze reiche Eiland, nicht   2400
Um alle Länder, die das Meer umfaßt,
Möcht ich vor Euch so stehn, wie Ihr vor mir!

ELISABETH.   Bekennt Ihr endlich Euch für überwunden?
Ists aus mit Euren Ränken? Ist kein Mörder
Mehr unterweges? Will kein Abenteurer   2405
Für Euch die traurge Ritterschaft mehr wagen?

— Ja, es ist aus, Lady Maria. Ihr verführt
Mir keinen mehr. Die Welt hat andre Sorgen.
Es lüstet keinen Euer — vierter Mann
Zu werden, denn Ihr tötet Eure Freier   2410
Wie Eure Männer!

MARIA (*auffahrend*).   Schwester! Schwester!
O Gott! Gott! Gib mir Mäßigung!

ELISABETH (*sieht sie lange mit einem Blick stolzer Verachtung an*).
Das also sind die Reizungen, Lord Leicester,
Die ungestraft kein Mann erblickt, daneben
Kein andres Weib sich wagen darf zu stellen!   2415
Fürwahr! Der Ruhm war wohlfeil zu erlangen,
*Es kostet nichts, die allgemeine Schönheit
Zu sein, als die gemeine sein für alle!

MARIA.   Das ist zu viel!

ELISABETH (*höhnisch lachend*).   Jetzt zeigt Ihr Euer wahres
*Gesicht, bis jetzt wars nur die Larve.   2420

MARIA (*von Zorn glühend, doch mit einer edeln Würde*).
Ich habe menschlich, jugendlich gefehlt,
Die Macht verführte mich, ich hab es nicht
Verheimlicht und verborgen, falschen Schein
Hab ich verschmäht, mit königlichem Freimut.
Das Ärgste weiß die Welt von mir und ich   2425
Kann sagen, ich bin besser als mein Ruf.
Weh Euch, wenn sie von Euren Taten einst
Den Ehrenmantel zieht, womit Ihr gleißend
*Die wilde Glut verstohlner Lüste deckt.
*Nicht Ehrbarkeit habt Ihr von Eurer Mutter   2430
Geerbt, man weiß, um welcher Tugend willen
Anna von Boleyn das Schafott bestiegen.

SHREWSBURY (*tritt zwischen beide Königinnen*).   O Gott
des Himmels! Muß es dahin kommen!
Ist das die Mäßigung, die Unterwerfung,
Lady Maria?

MARIA.   Mäßigung! Ich habe   2435
Ertragen, was ein Mensch ertragen kann.
*Fahr hin, lammherzige Gelassenheit,

Zum Himmel fliehe, leidende Geduld,
Spreng endlich deine Bande, tritt hervor
Aus deiner Höhle, langverhaltner Groll —   2440
Und du, der dem gereizten Basilisk
Den Mordblick gab, leg auf die Zunge mir
Den giftgen Pfeil —
SHREWSBURY.   O sie ist außer sich!
Verzeih der Rasenden, der schwer Gereizten!

(*Elisabeth, für Zorn sprachlos, schießt wütende Blicke auf Marien.*)

LEICESTER (*in der heftigsten Unruhe, sucht die Elisabeth hinweg
    zu führen*).   Höre
Die Wütende nicht an! Hinweg, hinweg   2445
Von diesem unglückselgen Ort!
MARIA. *Der Thron von England ist durch einen Bastard
Entweiht, der Briten edelherzig Volk
Durch eine listge Gauklerin betrogen.
— Regierte Recht, so läget Ihr vor mir   2450
Im Staube jetzt, denn ich bin Euer König.

(*Elisabeth geht schnell ab, die Lords folgen ihr in der höchsten
    Bestürzung.*)

Fünfter Auftritt

MARIA. KENNEDY

KENNEDY.   O was habt Ihr getan! Sie geht in Wut!
Jetzt ist es aus und alle Hoffnung schwindet.
MARIA (*noch ganz außer sich*).   Sie geht in Wut! Sie trägt den
    Tod im Herzen!

(*Der Kennedy um den Hals fallend.*)

O wie mir wohl ist, Hanna! Endlich, endlich   2455
Nach Jahren der Erniedrigung, der Leiden,
Ein Augenblick der Rache, des Triumphs!
Wie Bergeslasten fällts von meinem Herzen,
Das Messer stieß ich in der Feindin Brust.

KENNEDY.   Unglückliche! Der Wahnsinn reißt Euch hin,   2460
Ihr habt die Unversöhnliche verwundet.
Sie führt den Blitz, sie ist die Königin,
Vor ihrem Buhlen habt Ihr sie verhöhnt!
MARIA.   Vor Leicesters Augen hab ich sie erniedrigt!
Er sah es, er bezeugte meinen Sieg!   2465
Wie ich sie niederschlug von ihrer Höhe,
Er stand dabei, mich stärkte seine Nähe!

Sechster Auftritt

MORTIMER *zu den* VORIGEN.

KENNEDY.   O Sir! Welch ein Erfolg —
MORTIMER.   Ich hörte alles.

*(Gibt der Amme ein Zeichen, sich auf ihren Posten zu begeben, und
tritt näher. Sein ganzes Wesen drückt eine heftige leidenschaftliche
Stimmung aus.)*

Du hast gesiegt! Du tratst sie in den Staub,
Du warst die Königin, sie der Verbrecher.   2470
Ich bin entzückt von deinem Mut, ich bete
Dich an, wie eine Göttin groß und herrlich
Erscheinst du mir in diesem Augenblick.
MARIA.   Ihr spracht mit Leicestern, überbrachtet ihm
Mein Schreiben, mein Geschenk — O redet, Sir!   2475
MORTIMER (*mit glühenden Blicken sie betrachtend*).
Wie dich der edle königliche Zorn
Umglänzte, deine Reize mir verklärte!
Du bist das schönste Weib auf dieser Erde!
MARIA.   Ich bitt Euch, Sir! Stillt meine Ungeduld.
Was spricht Mylord? O sagt, was darf ich hoffen? 2480
MORTIMER.   Wer? Er? das ist ein Feiger, Elender!
Hofft nichts von ihm, verachtet ihn, vergeßt ihn!
MARIA.   Was sagt Ihr?
MORTIMER.   Er Euch retten und besitzen!

Er Euch! Er soll es wagen! Er! Mit mir
Muß er auf Tod und Leben darum kämpfen! 2485
MARIA. Ihr habt ihm meinen Brief nicht übergeben?
— O dann ists aus!
MORTIMER.   Der Feige liebt das Leben.
Wer dich will retten und die Seine nennen,
Der muß den Tod beherzt umarmen können.
MARIA. Er will nichts für mich tun!
MORTIMER.   Nichts mehr von ihm!
Was kann er tun, und was bedarf man sein? 2491
Ich will dich retten, ich allein!
MARIA. Ach, was vermögt Ihr!
MORTIMER.   Täuschet Euch nicht mehr,
Als ob es noch wie gestern mit Euch stünde!
So wie die Königin jetzt von Euch ging, 2495
Wie dies Gespräch sich wendete, ist alles
Verloren, jeder Gnadenweg gesperrt.
Der Tat bedarfs jetzt, Kühnheit muß entscheiden,
Für alles werde alles frisch gewagt,
Frei müßt Ihr sein, noch eh der Morgen tagt. 2500
MARIA. Was sprecht Ihr? diese Nacht! Wie ist das möglich?
MORTIMER. Hört, was beschlossen ist. Versammelt hab
    ich
In heimlicher Kapelle die Gefährten,
Ein Priester hörte unsre Beichte an,
Ablaß ist uns erteilt für alle Schulden, 2505
*Die wir begingen, Ablaß im voraus
Für alle, die wir noch begehen werden.
Das letzte Sakrament empfingen wir,
Und fertig sind wir zu der letzten Reise.
MARIA. O welche fürchterliche Vorbereitung! 2510
MORTIMER. Dies Schloß ersteigen wir in dieser Nacht,
Der Schlüssel bin ich mächtig. Wir ermorden
Die Hüter, reißen dich aus deiner Kammer
Gewaltsam, sterben muß von unsrer Hand,
Daß niemand überbleibe, der den Raub 2515
Verraten könne, jede lebende Seele.

MARIA. Und Drury, Paulet, meine Kerkermeister?
O eher werden sie ihr letztes Blut —
MORTIMER. Von meinem Dolche fallen sie zuerst!
MARIA. Was? Euer Oheim, Euer zweiter Vater?   2520
MORTIMER. Von meinen Händen stirbt er. Ich ermord ihn.
MARIA. O blutger Frevel!
MORTIMER.   Alle Frevel sind
Vergeben im voraus. Ich kann das Ärgste
Begehen, und ich wills.
MARIA.   O schrecklich, schrecklich!
MORTIMER. Und müßt ich auch die Königin durchbohren,
Ich hab es auf die Hostie geschworen.   2526
MARIA. Nein, Mortimer! Eh so viel Blut um mich —
MORTIMER. Was ist mir alles Leben gegen dich
Und meine Liebe! Mag der Welten Band
Sich lösen, eine zweite Wasserflut   2530
Herwogend alles Atmende verschlingen!
— Ich achte nichts mehr! Eh ich dir entsage,
Eh nahe sich das Ende aller Tage.
MARIA (*zurücktretend*). Gott! Welche Sprache, Sir, und —
    welche Blicke!
— Sie schrecken, sie verscheuchen mich.
MORTIMER (*mit irren Blicken, und im Ausdruck des stillen Wahn-
    sinns*).   Das Leben ist   2535
Nur ein Moment, der Tod ist auch nur einer!
*— Man schleife mich nach Tyburn, Glied für Glied
Zerreiße man mit glühnder Eisenzange,

(*indem er heftig auf sie zugeht, mit ausgebreiteten Armen*)

Wenn ich dich, Heißgeliebte, umfange —
MARIA (*zurücktretend*). Unsinniger, zurück —
MORTIMER.   An dieser Brust,
Auf diesem Liebe atmenden Munde —   2541
MARIA. Um Gotteswillen, Sir! Laßt mich hinein gehn!
MORTIMER. Der ist ein Rasender, der nicht das Glück
Festhält in unauflöslicher Umarmung,
Wenn es ein Gott in seine Hand gegeben.   2545

Ich will dich retten, kost es tausend Leben,
Ich rette dich, ich will es, doch so wahr
Gott lebt! Ich schwörs, ich will dich auch besitzen.
MARIA.   O will kein Gott, kein Engel mich beschützen!
Furchtbares Schicksal! Grimmig schleuderst du   2550
Von einem Schrecknis mich dem andern zu.
 *Bin ich geboren, nur die Wut zu wecken?
Verschwört sich Haß und Liebe, mich zu schrecken?
MORTIMER.   Ja glühend, wie sie hassen, lieb ich dich!
Sie wollen dich enthaupten, diesen Hals,   2555
Den blendend weißen, mit dem Beil durchschneiden.
O weihe du dem Lebensgott der Freuden,
Was du dem Hasse blutig opfern mußt.
Mit diesen Reizen, die nicht dein mehr sind,
Beselige den glücklichen Geliebten.   2560
Die schöne Locke, dieses seidne Haar,
Verfallen schon den finstern Todesmächten,
Gebrauchs, den Sklaven ewig zu umflechten!
MARIA.   O welche Sprache muß ich hören! Sir!
Mein Unglück sollt Euch heilig sein, mein Leiden,   2565
Wenn es mein königliches Haupt nicht ist.
MORTIMER.   Die Krone ist von deinem Haupt gefallen,
Du hast nichts mehr von irdscher Majestät,
Versuch es, laß dein Herrscherwort erschallen,
Ob dir ein Freund, ein Retter aufersteht.   2570
Nichts blieb dir als die rührende Gestalt,
Der hohen Schönheit göttliche Gewalt,
Die läßt mich alles wagen und vermögen,
Die treibt dem Beil des Henkers mich entgegen —
MARIA.   O wer errettet mich von seiner Wut!   2575
MORTIMER.   Verwegner Dienst belohnt sich auch verwegen!
 *Warum versprützt der Tapfere sein Blut?
Ist Leben doch des Lebens höchstes Gut!
Ein Rasender, der es umsonst verschleudert!
Erst will ich ruhn an seiner wärmsten Brust. —   2580

(Er preßt sie heftig an sich.)

MARIA. O muß ich Hülfe rufen gegen den Mann,
Der mein Erretter —
MORTIMER. Du bist nicht gefühllos,
Nicht kalter Strenge klagt die Welt dich an,
Dich kann die heiße Liebesbitte rühren,
Du hast den Sänger Rizzio beglückt,   2585
Und jener Bothwell durfte dich entführen.
MARIA. Vermessener!
MORTIMER. Er war nur dein Tyrann!
Du zittertest vor ihm, da du ihn liebtest!
Wenn nur der Schrecken dich gewinnen kann,
Beim Gott der Hölle! —
MARIA. Laßt mich! Raset Ihr?   2590
MORTIMER. Erzittern sollst du auch vor mir!
KENNEDY (*hereinstürzend*). Man naht. Man kommt. Bewaffnet
Volk erfüllt
Den ganzen Garten.
MORTIMER (*auffahrend und zum Degen greifend*). Ich beschütze
dich.
MARIA. O Hanna! Rette mich aus seinen Händen!
Wo find ich Ärmste einen Zufluchtsort?   2595
Zu welchem Heiligen soll ich mich wenden?
Hier ist Gewalt und drinnen ist der Mord.

(*Sie flieht dem Hause zu, Kennedy folgt.*)

Siebenter Auftritt

MORTIMER. PAULET *und* DRURY, *welche außer sich herein-
stürzen.* GEFOLGE *eilt über die Szene.*

PAULET. Verschließt die Pforten. Zieht die Brücken auf!
MORTIMER. Oheim, was ists?
PAULET. Wo ist die Mörderin?
Hinab mit ihr ins finsterste Gefängnis!   2600
MORTIMER. Was gibts? Was ist geschehn?

PAULET.   Die Königin!
  Verfluchte Hände! Teuflisches Erkühnen!
MORTIMER. Die Königin! Welche Königin?
PAULET.   Von England!
  Sie ist ermordet auf der Londner Straßen! (*Eilt ins Haus.*)

Achter Auftritt

MORTIMER. *Gleich darauf* OKELLY.

MORTIMER. Bin ich im Wahnwitz? Kam nicht eben jemand
  Vorbei und rief: Die Königin sei ermordet?   2606
  Nein, nein, mir träumte nur. Ein Fieberwahn
  Bringt mir als wahr und wirklich vor den Sinn,
  Was die Gedanken gräßlich mir erfüllt.
  *Wer kommt? Es ist Okell'. So schreckenvoll!   2610
OKELLY (*hereinstürzend*). Flieht, Mortimer! Flieht. Alles ist
  verloren.
MORTIMER. Was ist verloren?
OKELLY.   Fragt nicht lange. Denkt
  Auf schnelle Flucht.
MORTIMER.   Was gibts denn?
OKELLY.   *Sauvage führte
  Den Streich, der Rasende.
MORTIMER.   So ist es wahr?
OKELLY. Wahr, wahr! O rettet Euch!
MORTIMER.   Sie ist ermordet,   2615
  Und auf den Thron von England steigt Maria!
OKELLY. Ermordet! Wer sagt das?
MORTIMER.   Ihr selbst!
OKELLY.   Sie lebt!
  *Und ich und Ihr, wir alle sind des Todes.
MORTIMER. Sie lebt!
OKELLY.   Der Stoß ging fehl, der Mantel fing ihn auf,
  Und Shrewsbury entwaffnete den Mörder.   2620
MORTIMER. Sie lebt!

OKELLY.   Lebt, um uns alle zu verderben!
   Kommt, man umzingelt schon den Park.
MORTIMER.   Wer hat
   Das Rasende getan?
OKELLY.   *Der Barnabit
   Aus Toulon wars, den Ihr in der Kapelle
   Tiefsinnig sitzen saht, als uns der Mönch   2625
   *Das Anathem ausdeutete, worin
   Der Papst die Königin mit dem Fluch belegt.
   *Das Nächste, Kürzeste wollt er ergreifen,
   Mit einem kecken Streich die Kirche Gottes
   Befrein, die Martyrkrone sich erwerben,   2630
   Dem Priester nur vertraut' er seine Tat,
   Und auf dem Londner Weg ward sie vollbracht.
MORTIMER (*nach einem langen Stillschweigen*). O dich verfolgt
      ein grimmig wütend Schicksal,
   Unglückliche! Jetzt — ja jetzt mußt du sterben,
   Dein Engel selbst bereitet deinen Fall.   2635
OKELLY.   Sagt! Wohin wendet Ihr die Flucht? Ich gehe,
   Mich in des Nordens Wäldern zu verbergen.
MORTIMER.   Flieht hin und Gott geleite Eure Flucht!
   Ich bleibe. Noch versuch ichs, sie zu retten,
   *Wo nicht, auf ihrem Sarge mir zu betten.   2640

        (*Gehen ab zu verschiedenen Seiten.*)

VIERTER AUFZUG

Vorzimmer

Erster Auftritt

GRAF AUBESPINE. KENT *und* LEICESTER.

AUBESPINE. Wie stehts um Ihro Majestät? Mylords,
  Ihr seht mich noch ganz außer mir für Schrecken.
  Wie ging das zu? Wie konnte das in Mitte
  Des allertreusten Volks geschehen?
LEICESTER.   Es geschah
  Durch keinen aus dem Volke. Der es tat,   2645
  *War Eures Königs Untertan, ein Franke.
AUBESPINE. Ein Rasender gewißlich.
KENT.   Ein Papist,
  Graf Aubespine!

Zweiter Auftritt

VORIGE. BURLEIGH *im Gespräch mit* DAVISON.

BURLEIGH.   Sogleich muß der Befehl
  Zur Hinrichtung verfaßt und mit dem Siegel
  Versehen werden — Wenn er ausgefertigt,   2650
  Wird er der Königin zur Unterschrift
  Gebracht. Geht! Keine Zeit ist zu verlieren.
DAVISON. Es soll geschehn. (*Geht ab.*)
AUBESPINE (*Burleigh entgegen*). Mylord, mein treues Herz
  Teilt die gerechte Freude dieser Insel.
  Lob sei dem Himmel, der den Mörderstreich   2655
  Gewehrt von diesem königlichen Haupt!
BURLEIGH. Er sei gelobt, der unsrer Feinde Bosheit
  Zuschanden machte!

AUBESPINE.   Mög ihn Gott verdammen,
Den Täter dieser fluchenswerten Tat!

BURLEIGH. *Den Täter und den schändlichen Erfinder.   2660

AUBESPINE (*zu Kent*). Gefällt es Eurer Herrlichkeit, Lord-
marschall,
Bei Ihro Majestät mich einzuführen,
Daß ich den Glückwunsch meines Herrn und Königs
Zu ihren Füßen schuldigst niederlege —

BURLEIGH. Bemüht Euch nicht, Graf Aubespine.

*AUBESPINE (*offizios*).   Ich weiß,
Lord Burleigh, was mir obliegt.

BURLEIGH.   Euch liegt ob,   2666
Die Insel auf das schleunigste zu räumen.

AUBESPINE (*tritt erstaunt zurück*). Was! Wie ist das!

BURLEIGH.   *Der heilige Charakter
Beschützt Euch heute noch und morgen nicht mehr.

AUBESPINE. Und was ist mein Verbrechen?

BURLEIGH.   Wenn ich es   2670
Genannt, so ist es nicht mehr zu vergeben.

AUBESPINE. Ich hoffe, Lord, das Recht der Abgesandten —

BURLEIGH. Schützt — Reichsverräter nicht.

LEICESTER *und* KENT.   Ha! Was ist das!

AUBESPINE.   Mylord,
Bedenkt Ihr wohl —

BURLEIGH.   Ein Paß, von Eurer Hand
Geschrieben, fand sich in des Mörders Tasche.   2675

KENT. Ists möglich?

AUBESPINE.   Viele Pässe teil ich aus,
Ich kann der Menschen Innres nicht erforschen.

BURLEIGH. In Eurem Hause beichtete der Mörder.

AUBESPINE. Mein Haus ist offen.

BURLEIGH.   Jedem Feinde Englands.

AUBESPINE. *Ich fodre Untersuchung.

BURLEIGH.   Fürchtet sie!   2680

AUBESPINE. In meinem Haupt ist mein Monarch verletzt,
Zerreißen wird er das geschloßne Bündnis.

BURLEIGH. Zerrissen schon hat es die Königin,

England wird sich mit Frankreich nicht vermählen.
Mylord von Kent! Ihr übernehmet es, 2685
Den Grafen sicher an das Meer zu bringen.
Das aufgebrachte Volk hat sein Hotel
Gestürmt, wo sich ein ganzes Arsenal
Von Waffen fand, es droht ihn zu zerreißen,
*Wie er sich zeigt; verberget ihn, bis sich 2690
Die Wut gelegt — Ihr haftet für sein Leben!
AUBESPINE. *Ich gehe, ich verlasse dieses Land,
Wo man der Völker Recht mit Füßen tritt,
Und mit Verträgen spielt — doch mein Monarch
Wird blutge Rechenschaft —
BURLEIGH. Er hole sie! 2695

(*Kent und Aubespine gehen ab.*)

Dritter Auftritt

LEICESTER *und* BURLEIGH.

LEICESTER. So löst Ihr selbst das Bündnis wieder auf,
Das Ihr geschäftig unberufen knüpftet.
Ihr habt um England wenig Dank verdient,
Mylord, die Mühe konntet Ihr Euch sparen.
BURLEIGH. Mein Zweck war gut. Gott leitete es anders. 2700
Wohl dem, der sich nichts Schlimmeres bewußt ist!
LEICESTER. Man kennt Cecils geheimnisreiche Miene,
Wenn er die Jagd auf Staatsverbrechen macht.
— Jetzt, Lord, ist eine gute Zeit für Euch.
Ein ungeheurer Frevel ist geschehn, 2705
Und noch umhüllt Geheimnis seine Täter.
Jetzt wird ein Inquisitionsgericht
Eröffnet. Wort und Blicke werden abgewogen,
Gedanken selber vor Gericht gestellt.
*Da seid Ihr der allwichtge Mann, der Atlas 2710
Des Staats, ganz England liegt auf Euren Schultern.
BURLEIGH. In Euch, Mylord, erkenn ich meinen Meister,

Denn solchen Sieg, als Eure Rednerkunst
Erfocht, hat meine nie davon getragen.
LEICESTER.   Was meint Ihr damit, Lord?   2715
BURLEIGH.   Ihr wart es doch, der hinter meinem Rücken
Die Königin nach Fotheringhayschloß
Zu locken wußte?
LEICESTER.   Hinter Eurem Rücken!
*Wann scheuten meine Taten Eure Stirn?
BURLEIGH.   Die Königin hättet Ihr nach Fotheringhay   2720
Geführt? Nicht doch! Ihr habt die Königin
Nicht hingeführt! Die Königin war es,
Die so gefällig war, Euch hinzuführen.
LEICESTER.   Was wollt Ihr damit sagen, Lord?
BURLEIGH.   Die edle
Person, die Ihr die Königin dort spielen ließt!   2725
Der herrliche Triumph, den Ihr der arglos
Vertrauenden bereitet — Gütge Fürstin!
So schamlos frech verspottete man dich,
*So schonungslos wardst du dahin gegeben!
*— Das also ist die Großmut und die Milde,   2730
Die Euch im Staatsrat plötzlich angewandelt!
Darum ist diese Stuart ein so schwacher,
Verachtungswerter Feind, daß es der Müh
Nicht lohnt, mit ihrem Blut sich zu beflecken!
Ein feiner Plan! Fein zugespitzt! Nur schade,   2735
Zu fein geschärfet, daß die Spitze brach!
LEICESTER.   Nichtswürdiger! Gleich folgt mir! An dem Throne
Der Königin sollt Ihr mir Rede stehn.
BURLEIGH.   Dort trefft Ihr mich — Und sehet zu, Mylord,
Daß Euch dort die Beredsamkeit nicht fehle! (Geht ab.) 2740

Vierter Auftritt

LEICESTER allein, darauf MORTIMER.

LEICESTER.   Ich bin entdeckt, ich bin durchschaut — Wie kam
Der Unglückselige auf meine Spuren!

Weh mir, wenn er Beweise hat! Erfährt
Die Königin, daß zwischen mir und der Maria
Verständnisse gewesen — Gott! Wie schuldig   2745
Steh ich vor ihr! Wie hinterlistig treulos
Erscheint mein Rat, mein unglückseliges
Bemühn, nach Fotheringhay sie zu führen!
Grausam verspottet sieht sie sich von mir,
An die verhaßte Feindin sich verraten!   2750
O nimmer, nimmer kann sie das verzeihn!
Vorherbedacht wird alles nun erscheinen,
Auch diese bittre Wendung des Gesprächs,
Der Gegnerin Triumph und Hohngelächter,
Ja selbst die Mörderhand, die blutig schrecklich,   2755
Ein unerwartet ungeheures Schicksal,
Dazwischen kam, werd ich bewaffnet haben!
Nicht Rettung seh ich, nirgends! Ha! Wer kommt!

MORTIMER (*kommt in der heftigsten Unruhe und blickt scheu
    umher*).   Graf Leicester! Seid Ihrs! Sind wir ohne Zeugen?
LEICESTER.   Unglücklicher, hinweg! Was sucht Ihr hier?   2760
MORTIMER.   Man ist auf unsrer Spur, auf Eurer auch,
    Nehmt Euch in Acht.
LEICESTER.   Hinweg, hinweg!
MORTIMER.   Man weiß,
    Daß bei dem Grafen Aubespine geheime
    Versammlung war —
LEICESTER.   Was kümmerts mich!
MORTIMER.   Daß sich der Mörder   2765
    Dabei befunden —
LEICESTER.   Das ist Eure Sache!
    Verwegener! Was unterfangt Ihr Euch,
    *In Euren blutgen Frevel mich zu flechten?
    Verteidigt Eure bösen Händel selbst!
MORTIMER.   So hört mich doch nur an.
LEICESTER (*in heftigem Zorn*).   Geht in die Hölle! 2770
    Was hängt Ihr Euch, gleich einem bösen Geist,
    An meine Fersen! Fort! Ich kenn Euch nicht,
    Ich habe nichts gemein mit Meuchelmördern.

MORTIMER.   Ihr wollt nicht hören. Euch zu warnen komm ich,
　　Auch Eure Schritte sind verraten —
LEICESTER.   Ha!   2775
MORTIMER.   Der Großschatzmeister war zu Fotheringhay,
　　Sogleich nachdem die Unglückstat geschehn war,
　　Der Königin Zimmer wurden streng durchsucht,
　　Da fand sich —
LEICESTER.   Was?
MORTIMER.   Ein angefangner Brief
　　Der Königin an Euch —
LEICESTER.   Die Unglückselge!   2780
MORTIMER.   *Worin sie Euch auffodert, Wort zu halten,
　　Euch das Versprechen ihrer Hand erneuert,
　　Des Bildnisses gedenkt —
LEICESTER.   Tod und Verdammnis!
MORTIMER.   Lord Burleigh hat den Brief.
LEICESTER.   Ich bin verloren!

(*Er geht während der folgenden Rede Mortimers verzweiflungsvoll auf und nieder.*)

MORTIMER.   Ergreift den Augenblick! Kommt ihm zuvor!
　　Errettet Euch, errettet sie — Schwört Euch   2786
　　Heraus, ersinnt Entschuldigungen, wendet
　　Das Ärgste ab! Ich selbst kann nichts mehr tun.
　　Zerstreut sind die Gefährten, auseinander
　　Gesprengt ist unser ganzer Bund. Ich eile   2790
　　Nach Schottland, neue Freunde dort zu sammeln.
　　An Euch ists jetzt, versucht, was Euer Ansehn,
　　Was eine kecke Stirn vermag!
LEICESTER (*steht still, plötzlich besonnen*).   Das will ich.

(*Er geht nach der Türe, öffnet sie, und ruft.*)

He da! Trabanten!

(*Zu dem Offizier, der mit Bewaffneten hereintritt.*)

　　　　　　　　　Diesen Staatsverräter
Nehmt in Verwahrung und bewacht ihn wohl!   2795

Die schändlichste Verschwörung ist entdeckt,
Ich bringe selbst der Königin die Botschaft. (*Er geht ab.*)
MORTIMER (*steht anfangs starr für Erstaunen, faßt sich aber bald
    und sieht Leicestern mit einem Blick der tiefsten Verachtung
    nach*).   Ha, Schändlicher — Doch ich verdiene das!
Wer hieß mich auch dem Elenden vertrauen?
Weg über meinen Nacken schreitet er,   2800
Mein Fall muß ihm die Rettungsbrücke bauen.
— So rette dich! Verschlossen bleibt mein Mund,
Ich will dich nicht in mein Verderben flechten.
Auch nicht im Tode mag ich deinen Bund,
Das Leben ist das einzge Gut des Schlechten.   2805

(*Zu dem Offizier der Wache, der hervortritt, um ihn gefangen
    zu nehmen.*)

Was willst du, feiler Sklav der Tyrannei?
Ich spotte deiner, ich bin frei!

(*Einen Dolch ziehend.*)

OFFIZIER.   Er ist bewehrt — Entreißt ihm seinen Dolch!

(*Sie dringen auf ihn ein, er erwehrt sich ihrer.*)

MORTIMER.   Und frei im letzten Augenblicke soll
Mein Herz sich öffnen, meine Zunge lösen!   2810
Fluch und Verderben euch, die ihren Gott
Und ihre wahre Königin verraten!
*Die von der irdischen Maria sich
Treulos, wie von der himmlischen gewendet,
Sich dieser Bastardkönigin verkauft —   2815
OFFIZIER.   Hört ihr die Lästrung! Auf! Ergreifet ihn.
MORTIMER.   Geliebte! Nicht erretten konnt ich dich,
So will ich dir ein männlich Beispiel geben.
Maria, heilge, bitt für mich!
Und nimm mich zu dir in dein himmlisch Leben!   2820

(*Er durchsticht sich mit dem Dolch und fällt der Wache in die
    Arme.*)

Zimmer der Königin

Fünfter Auftritt

ELISABETH, *einen Brief in der Hand.* BURLEIGH

ELISABETH.   Mich hinzuführen! Solchen Spott mit mir
    Zu treiben! Der Verräter! Im Triumph
    Vor seiner Buhlerin mich aufzuführen!
    O so ward noch kein Weib betrogen, Burleigh!
BURLEIGH.   Ich kann es noch nicht fassen, wie es ihm,   2825
    Durch welche Macht, durch welche Zauberkünste
    Gelang, die Klugheit meiner Königin
    So sehr zu überraschen.
ELISABETH.   O ich sterbe
   *Für Scham! Wie mußt er meiner Schwäche spotten!
    Sie glaubt ich zu erniedrigen und war,   2830
    Ich selber, ihres Spottes Ziel!
BURLEIGH.   Du siehst nun ein, wie treu ich dir geraten!
ELISABETH.   O ich bin schwer dafür gestraft, daß ich
    Von Eurem weisen Rate mich entfernt!
    Und sollt ich ihm nicht glauben? In den Schwüren   2835
    Der treusten Liebe einen Fallstrick fürchten?
    Wem darf ich traun, wenn er mich hinterging?
    Er, den ich groß gemacht vor allen Großen,
    Der mir der Nächste stets am Herzen war,
    Dem ich verstattete, an diesem Hof   2840
    Sich wie der Herr, der König zu betragen!
BURLEIGH.   Und zu derselben Zeit verriet er dich
    An diese falsche Königin von Schottland!
ELISABETH.   O sie bezahle mirs mit ihrem Blut!
    — Sagt! Ist das Urteil abgefaßt?
BURLEIGH.   Es liegt   2845
    Bereit, wie du befohlen.
ELISABETH.   Sterben soll sie!
    Er soll sie fallen sehn, und nach ihr fallen.
    Verstoßen hab ich ihn aus meinem Herzen,
    Fort ist die Liebe, Rache füllt es ganz.

So hoch er stand, so tief und schmählich sei   2850
Sein Sturz! Er sei ein Denkmal meiner Strenge,
Wie er ein Beispiel meiner Schwäche war.
Man führ ihn nach dem Tower, ich werde Peers
Ernennen, die ihn richten, hingegeben
Sei er der ganzen Strenge des Gesetzes.   2855
BURLEIGH. Er wird sich zu dir drängen, sich rechtfertgen —
ELISABETH. *Wie kann er sich rechtfertgen? Überführt
    Ihn nicht der Brief? O sein Verbrechen ist
    Klar wie der Tag!
BURLEIGH.   Doch du bist mild und gnädig,
    Sein Anblick, seine mächtge Gegenwart —   2860
ELISABETH. Ich will ihn nicht sehn. Niemals, niemals wieder!
    Habt Ihr Befehl gegeben, daß man ihn
    Zurück weist, wenn er kommt?
BURLEIGH.   So ists befohlen!
PAGE (*tritt ein*). Mylord von Leicester!
KÖNIGIN.   Der Abscheuliche!
    Ich will ihn nicht sehn. Sagt ihm, daß ich ihn   2865
    Nicht sehen will.
PAGE.   Das wag ich nicht, dem Lord
    Zu sagen, und er würde mirs nicht glauben.
KÖNIGIN. So hab ich ihn erhöht, daß meine Diener
    Vor seinem Ansehn mehr als meinem zittern!
BURLEIGH (*zum Pagen*). Die Königin verbiet ihm, sich zu nahn!

        (*Page geht zögernd ab.*)

KÖNIGIN (*nach einer Pause*). Wenns dennoch möglich wäre —
      Wenn er sich   2871
    Rechtfertgen könnte! — Sagt mir, könnt es nicht
    Ein Fallstrick sein, den mir Maria legte,
    Mich mit dem treusten Freunde zu entzwein!
    *O, sie ist eine abgefeimte Bübin,   2875
    Wenn sie den Brief nur schrieb, mir giftgen Argwohn
    Ins Herz zu streun, ihn, den sie haßt, ins Unglück
    Zu stürzen —
BURLEIGH.   Aber Königin, erwäge —

Sechster Auftritt

VORIGE. LEICESTER

LEICESTER (*reißt die Tür mit Gewalt auf, und tritt mit gebiet-
   rischem Wesen herein*). Den Unverschämten will ich
   sehn, der mir
   Das Zimmer meiner Königin verbietet.   2880

ELISABETH. Ha, der Verwegene!

LEICESTER.   Mich abzuweisen!
   Wenn sie für einen Burleigh sichtbar ist,
   So ist sies auch für mich!

BURLEIGH. Ihr seid sehr kühn, Mylord,
   Hier wider die Erlaubnis einzustürmen.

LEICESTER. Ihr seid sehr frech, Lord, hier das Wort zu nehmen.
   Erlaubnis! Was! Es ist an diesem Hofe   2886
   Niemand, durch dessen Mund Graf Leicester sich
   Erlauben und verbieten lassen kann!

   (*Indem er sich der Elisabeth demütig nähert.*)

   Aus meiner Königin eignem Mund will ich —

ELISABETH (*ohne ihn anzusehen*).   Aus meinem Angesicht,
   Nichtswürdiger!   2890

LEICESTER.   Nicht meine gütige Elisabeth,
   Den Lord vernehm ich, meinen Feind, in diesen
   Unholden Worten — Ich berufe mich auf meine
   Elisabeth — Du liehest ihm dein Ohr,
   *Das gleiche fodr ich.

ELISABETH.   Redet, Schändlicher!   2895
   Vergrößert Euren Frevel! Leugnet ihn!

LEICESTER.   Laßt diesen Überlästigen sich erst
   Entfernen — Tretet ab, Mylord — Was ich
   Mit meiner Königin zu verhandeln habe,
   Braucht keinen Zeugen. Geht.

ELISABETH (*zu Burleigh*).   Bleibt. Ich befehl es!   2900

LEICESTER. Was soll der Dritte zwischen dir und mir!

Mit meiner angebeteten Monarchin
Hab ichs zu tun — Die Rechte meines Platzes
Behaupt ich — Es sind heilge Rechte!
Und ich bestehe drauf, daß sich der Lord   2905
Entferne!

ELISABETH. Euch geziemt die stolze Sprache!

LEICESTER. Wohl ziemt sie mir, denn ich bin der Beglückte,
    Dem deine Gunst den hohen Vorzug gab,
    Das hebt mich über ihn und über alle!
    Dein Herz verlieh mir diesen stolzen Rang,   2910
    Und was die Liebe gab, werd ich, bei Gott!
    Mit meinem Leben zu behaupten wissen.
    Er geh — und zweier Augenblicke nur
    Bedarfs, mich mit dir zu verständigen.

ELISABETH. Ihr hofft umsonst, mich listig zu beschwatzen.

LEICESTER. Beschwatzen konnte dich der Plauderer,   2916
    Ich aber will zu deinem Herzen reden!
    Und was ich im Vertraun auf deine Gunst
    Gewagt, will ich auch nur vor deinem Herzen
    Rechtfertigen — Kein anderes Gericht   2920
    Erkenn ich über mir als deine Neigung!

ELISABETH. Schamloser! Eben diese ists, die Euch zuerst
    Verdammt — Zeigt ihm den Brief, Mylord!

BURLEIGH.   Hier ist er!

LEICESTER (*durchläuft den Brief, ohne die Fassung zu verändern*).
    Das ist der Stuart Hand!

ELISABETH.   Lest und verstummt!

LEICESTER (*nachdem er gelesen, ruhig*). Der Schein ist gegen
    mich, doch darf ich hoffen,   2925
    Daß ich nicht nach dem Schein gerichtet werde!

ELISABETH. Könnt Ihr es leugnen, daß Ihr mit der Stuart
    In heimlichem Verständnis wart, ihr Bildnis
    Empfingt, ihr zur Befreiung Hoffnung machtet?

LEICESTER. Leicht wäre mirs, wenn ich mich schuldig fühlte,
    Das Zeugnis einer Feindin zu verwerfen!   2931
    Doch frei ist mein Gewissen, ich bekenne,
    Daß sie die Wahrheit schreibt!

ELISABETH.   Nun denn,
   Unglücklicher!
BURLEIGH.   Sein eigner Mund verdammt ihn.
ELISABETH.   Aus meinen Augen. In den Tower — Verräter!
LEICESTER.   Der bin ich nicht. Ich hab gefehlt, daß ich   2936
   Aus diesem Schritt dir ein Geheimnis machte,
   Doch redlich war die Absicht, es geschah,
   Die Feindin zu erforschen, zu verderben.
ELISABETH.   Elende Ausflucht —
BURLEIGH.   Wie, Mylord? Ihr glaubt —
LEICESTER.   Ich habe ein gewagtes Spiel gespielt,   2941
   Ich weiß, und nur Graf Leicester durfte sich
   An diesem Hofe solcher Tat erkühnen.
   Wie ich die Stuart hasse, weiß die Welt.
   Der Rang, den ich bekleide, das Vertrauen,   2945
   Wodurch die Königin mich ehrt, muß jeden Zweifel
   In meine treue Meinung niederschlagen.
   Wohl darf der Mann, den deine Gunst vor allen
   Auszeichnet, einen eignen kühnen Weg
   Einschlagen, seine Pflicht zu tun.
BURLEIGH.   Warum,   2950
   Wenns eine gute Sache war, verschwiegt Ihr?
LEICESTER.   Mylord! Ihr pflegt zu schwatzen, eh Ihr handelt,
   *Und seid die Glocke Eurer Taten. Das
   Ist Eure Weise, Lord. Die meine ist,
   Erst handeln und dann reden!   2955
BURLEIGH.   Ihr redet jetzo, weil Ihr müßt.
LEICESTER (*ihn stolz und höhnisch mit den Augen messend*).
                                        Und Ihr
   Berühmt Euch, eine wundergroße Tat
   Ins Werk gerichtet, Eure Königin
   Gerettet, die Verräterei entlarvt
   Zu haben — Alles wißt Ihr, Eurem Scharfblick   2960
   Kann nichts entgehen, meint Ihr — Armer Prahler!
   Trotz Eurer Spürkunst war Maria Stuart
   Noch heute frei, wenn ich es nicht verhindert.
BURLEIGH.   Ihr hättet —

LEICESTER.   Ich, Mylord. Die Königin
  Vertraute sich dem Mortimer, sie schloß   2965
  Ihr Innerstes ihm auf, sie ging so weit,
  Ihm einen blutgen Auftrag gegen die Maria
  Zu geben, da der Oheim sich mit Abscheu
  Von einem gleichen Antrag abgewendet —
  Sagt! Ist es nicht so?

    (*Königin und Burleigh sehen einander betroffen an.*)

BURLEIGH.   Wie gelangtet Ihr   2970
  Dazu? —
LEICESTER. Ists nicht so? — Nun, Mylord! Wo hattet
  Ihr Eure tausend Augen, nicht zu sehn,
  Daß dieser Mortimer Euch hinterging?
  Daß er ein wütender Papist, ein Werkzeug
  Der Guisen, ein Geschöpf der Stuart war,   2975
  Ein keck entschloßner Schwärmer, der gekommen,
  Die Stuart zu befrein, die Königin
  Zu morden —
ELISABETH (*mit dem äußersten Erstaunen*).   Dieser Mortimer!
LEICESTER.   Er wars, durch den
  Maria Unterhandlung mit mir pflog,
  Den ich auf diesem Wege kennen lernte.   2980
  Noch heute sollte sie aus ihrem Kerker
  Gerissen werden, diesen Augenblick
  Entdeckte mirs sein eigner Mund, ich ließ ihn
  Gefangen nehmen, und in der Verzweiflung,
  Sein Werk vereitelt, sich entlarvt zu sehn,   2985
  Gab er sich selbst den Tod!
ELISABETH.   O ich bin unerhört
  Betrogen — dieser Mortimer!
BURLEIGH.   Und jetzt
  Geschah das? Jetzt, nachdem ich Euch verlassen!
LEICESTER. Ich muß um meinetwillen sehr beklagen,
  Daß es dies Ende mit ihm nahm. Sein Zeugnis,   2990
  Wenn er noch lebte, würde mich vollkommen
  Gereinigt, aller Schuld entledigt haben.

Drum übergab ich ihn des Richters Hand.
Die strengste Rechtsform sollte meine Unschuld
Vor aller Welt bewähren und besiegeln.   2995
BURLEIGH.   Er tötete sich, sagt Ihr. Er sich selber? Oder
Ihr ihn?
LEICESTER.   Unwürdiger Verdacht! Man höre
Die Wache ab, der ich ihn übergab!

(*Er geht an die Tür und ruft hinaus. Der Offizier der Leibwache
tritt herein.*)

Erstattet Ihrer Majestät Bericht,
Wie dieser Mortimer umkam!
OFFIZIER.   Ich hielt die Wache   3000
Im Vorsaal, als Mylord die Türe schnell
Eröffnete und mir befahl, den Ritter
Als einen Staatsverräter zu verhaften.
Wir sahen ihn hierauf in Wut geraten,
Den Dolch ziehn, unter heftiger Verwünschung   3005
Der Königin, und eh wirs hindern konnten,
Ihn in die Brust sich stoßen, daß er tot
Zu Boden stürzte —
LEICESTER.   Es ist gut. Ihr könnt
Abtreten, Sir! Die Königin weiß genug!

(*Offizier geht ab.*)

ELISABETH.   O welcher Abgrund von Abscheulichkeiten —
LEICESTER.   Wer wars nun, der dich rettete? War es   3011
Mylord von Burleigh? Wußt er die Gefahr,
Die dich umgab? War ers, der sie von dir
Gewandt? — Dein treuer Leicester war dein Engel!
BURLEIGH.   Graf! Dieser Mortimer starb Euch sehr gelegen.
ELISABETH.   Ich weiß nicht, was ich sagen soll. Ich glaub Euch,
Und glaub Euch nicht. Ich denke, Ihr seid schuldig,   3017
Und seid es nicht! O die Verhaßte, die
Mir all dies Weh bereitet!
LEICESTER.   Sie muß sterben.
Jetzt stimm ich selbst für ihren Tod. Ich riet   3020
Dir an, das Urteil unvollstreckt zu lassen,

Bis sich aufs neu ein Arm für sie erhübe.
Dies ist geschehn — und ich bestehe drauf,
Daß man das Urteil ungesäumt vollstrecke.

BURLEIGH. Ihr rietet dazu! Ihr!

LEICESTER.   So sehr es mich   3025
Empört, zu einem Äußersten zu greifen,
Ich sehe nun und glaube, daß die Wohlfahrt
Der Königin dies blutge Opfer heischt,
Drum trag ich darauf an, daß der Befehl
Zur Hinrichtung gleich ausgefertigt werde!   3030

BURLEIGH (*zur Königin*). Da es Mylord so treu und ernstlich
    meint,
So trag ich darauf an, daß die Vollstreckung
Des Richterspruchs ihm übertragen werde.

LEICESTER. Mir!

BURLEIGH.   Euch. Nicht besser könnt Ihr den Verdacht,
Der jetzt noch auf Euch lastet, widerlegen,   3035
Als wenn Ihr sie, die Ihr geliebt zu haben
Beschuldigt werdet, selbst enthaupten lasset.

ELISABETH (*Leicestern mit den Augen fixierend*). Mylord rät gut.
So seis, und dabei bleib es.

LEICESTER. Mich sollte billig meines Ranges Höh
Von einem Auftrag dieses traurgen Inhalts   3040
Befrein, der sich in jedem Sinne besser
Für einen Burleigh ziemen mag als mich.
Wer seiner Königin so nahe steht,
Der sollte nichts Unglückliches vollbringen.
Jedoch um meinen Eifer zu bewähren,   3045
Um meiner Königin genug zu tun,
Begeb ich mich des Vorrechts meiner Würde
Und übernehme die verhaßte Pflicht.

ELISABETH. Lord Burleigh teile sie mit Euch!

                    (*Zu diesem.*)

                                        Tragt Sorge,
Daß der Befehl gleich ausgefertigt werde.   3050

        (*Burleigh geht. Man hört draußen ein Getümmel.*)

Siebenter Auftritt

GRAF VON KENT *zu den* VORIGEN.

ELISABETH. Was gibts, Mylord von Kent? Was für ein Auflauf
  Erregt die Stadt — Was ist es?
KENT.   Königin,
  Es ist das Volk, das den Palast umlagert,
  *Es fodert heftig dringend dich zu sehn.
ELISABETH. Was will mein Volk?
KENT.   Der Schrecken geht durch London,
  Dein Leben sei bedroht, es gehen Mörder   3056
  Umher, vom Papste wider dich gesendet.
  Verschworen seien die Katholischen,
  Die Stuart aus dem Kerker mit Gewalt
  Zu reißen und zur Königin auszurufen.   3060
  Der Pöbel glaubts und wütet. Nur das Haupt
  Der Stuart, das noch heute fällt, kann ihn
  Beruhigen.
ELISABETH.   Wie? Soll mir Zwang geschehn?
KENT. Sie sind entschlossen, eher nicht zu weichen,
  Bis du das Urteil unterzeichnet hast.   3065

Achter Auftritt

BURLEIGH *und* DAVISON *mit einer Schrift.* DIE VORIGEN

ELISABETH. Was bringt Ihr, Davison?
DAVISON (*nähert sich, ernsthaft*).   Du hast befohlen,
  O Königin —
ELISABETH.   Was ists?

   (*Indem sie die Schrift ergreifen will, schauert sie zusammen
         und fährt zurück.*)
           O Gott!
BURLEIGH.   Gehorche
  Der Stimme des Volks, sie ist die Stimme Gottes.

ELISABETH (*unentschlossen mit sich selbst kämpfend*).
  O meine Lords! Wer sagt mir, ob ich wirklich
  Die Stimme meines ganzen Volks, die Stimme   3070
  Der Welt vernehme! Ach wie sehr befürcht ich,
  Wenn ich dem Wunsch der Menge nun gehorcht,
  Daß eine ganz verschiedne Stimme sich
  Wird hören lassen — ja daß eben die,
  Die jetzt gewaltsam zu der Tat mich treiben,   3075
  Mich, wenns vollbracht ist, strenge tadeln werden!

Neunter Auftritt

GRAF SHREWSBURY *zu den* VORIGEN.

SHREWSBURY (*kommt in großer Bewegung*).   Man will dich
  übereilen, Königin!
  O halte fest, sei standhaft —
    (*Indem er Davison mit der Schrift gewahr wird.*)
                      Oder ist es
  Geschehen? Ist es wirklich? Ich erblicke
  Ein unglückselig Blatt in dieser Hand,   3080
  Das komme meiner Königin jetzt nicht
  Vor Augen.
ELISABETH.   Edler Shrewsbury! Man zwingt mich.
SHREWSBURY. Wer kann dich zwingen? Du bist Herrscherin,
  Hier gilt es deine Majestät zu zeigen!
  Gebiete Schweigen jenen rohen Stimmen,   3085
  Die sich erdreisten, deinem Königswillen
  Zwang anzutun, dein Urteil zu regieren.
  Die Furcht, ein blinder Wahn bewegt das Volk,
  Du selbst bist außer dir, bist schwer gereizt,
  Du bist ein Mensch und jetzt kannst du nicht richten. 3090
BURLEIGH. Gerichtet ist schon längst. Hier ist kein Urteil
  Zu fällen, zu vollziehen ists.
KENT (*der sich bei Shrewsburys Eintritt entfernt hat, kommt
  zurück*). Der Auflauf wächst, das Volk ist länger nicht
  Zu bändigen.

ELISABETH (*zu Shrewsbury*).   Ihr seht, wie sie mich drängen!

SHREWSBURY.   Nur Aufschub fordr ich. Dieser Federzug   3095
Entscheidet deines Lebens Glück und Frieden.
Du hast es Jahre lang bedacht, soll dich
Der Augenblick im Sturme mit sich führen?
Nur kurzen Aufschub. Sammle dein Gemüt,
Erwarte eine ruhigere Stunde.   3100

BURLEIGH (*heftig*).   Erwarte, zögre, säume, bis das Reich
In Flammen steht, bis es der Feindin endlich
Gelingt, den Mordstreich wirklich zu vollführen.
Dreimal hat ihn ein Gott von dir entfernt.
Heut hat er nahe dich berührt, noch einmal   3105
Ein Wunder hoffen, hieße Gott versuchen.

SHREWSBURY.   Der Gott, der dich durch seine Wunderhand
Viermal erhielt, der heut dem schwachen Arm
Des Greisen Kraft gab, einen Wütenden
Zu überwältgen — er verdient Vertrauen!   3110
Ich will die Stimme der Gerechtigkeit
Jetzt nicht erheben, jetzt ist nicht die Zeit,
Du kannst in diesem Sturme sie nicht hören.
Dies eine nur vernimm! Du zitterst jetzt
Vor dieser lebenden Maria. Nicht   3115
Die Lebende hast du zu fürchten. Zittre vor
Der Toten, der Enthaupteten. Sie wird
Vom Grab erstehen, eine Zwietrachtsgöttin,
Ein Rachegeist in deinem Reich herumgehn,
Und deines Volkes Herzen von dir wenden.   3120
Jetzt haßt der Brite die Gefürchtete,
Er wird sie rächen, wenn sie nicht mehr ist.
Nicht mehr die Feindin seines Glaubens, nur
Die Enkeltochter seiner Könige,
Des Hasses Opfer und der Eifersucht   3125
Wird er in der Bejammerten erblicken!
Schnell wirst du die Veränderung erfahren.
Durchziehe London, wenn die blutge Tat
*Geschehen, zeige dich dem Volk, das sonst
Sich jubelnd um dich her ergoß, du wirst   3130

Ein andres England sehn, ein andres Volk,
Denn dich umgibt nicht mehr die herrliche
Gerechtigkeit, die alle Herzen dir
Besiegte! Furcht, die schreckliche Begleitung
Der Tyrannei, wird schaudernd vor dir herziehn, 3135
Und jede Straße, wo du gehst, veröden.
Du hast das Letzte, Äußerste getan,
Welch Haupt steht fest, wenn dieses heilge fiel!

ELISABETH. Ach Shrewsbury! Ihr habt mir heut das Leben
Gerettet, habt des Mörders Dolch von mir 3140
Gewendet — Warum ließet Ihr ihm nicht
Den Lauf? So wäre jeder Streit geendigt,
Und alles Zweifels ledig, rein von Schuld,
Läg ich in meiner stillen Gruft! Fürwahr!
Ich bin des Lebens und des Herrschens müd. 3145
Muß eine von uns Königinnen fallen,
Damit die andre lebe — und es ist
Nicht anders, das erkenn ich — kann denn ich
Nicht die sein, welche weicht? Mein Volk mag wählen,
Ich geb ihm seine Majestät zurück. 3150
Gott ist mein Zeuge, daß ich nicht für mich,
Nur für das Beste meines Volks gelebt.
Hofft es von dieser schmeichlerischen Stuart,
Der jüngern Königin, glücklichere Tage,
So steig ich gern von diesem Thron und kehre 3155
*In Woodstocks stille Einsamkeit zurück,
Wo meine anspruchlose Jugend lebte,
Wo ich, vom Tand der Erdengröße fern,
Die Hoheit in mir selber fand — Bin ich
Zur Herrscherin doch nicht gemacht! Der Herrscher 3160
Muß hart sein können, und mein Herz ist weich.
Ich habe diese Insel lange glücklich
Regiert, weil ich nur brauchte zu beglücken.
Es kommt die erste schwere Königspflicht,
Und ich empfinde meine Ohnmacht —

BURLEIGH.   Nun bei Gott! 3165
Wenn ich so ganz unkönigliche Worte

Aus meiner Königin Mund vernehmen muß,
So wärs Verrat an meiner Pflicht, Verrat
Am Vaterlande, länger still zu schweigen.
— Du sagst, du liebst dein Volk, mehr als dich selbst,   3170
Das zeige jetzt! Erwähle nicht den Frieden
Für dich und überlaß das Reich den Stürmen.
— Denk an die Kirche! Soll mit dieser Stuart
Der alte Aberglaube wiederkehren?
*Der Mönch aufs neu hier herrschen, der Legat   3175
Aus Rom gezogen kommen, unsre Kirchen
Verschließen, unsre Könige entthronen?
— Die Seelen aller deiner Untertanen,
Ich fodre sie von dir — Wie du jetzt handelst,
Sind sie gerettet oder sind verloren.   3180
Hier ist nicht Zeit zu weichlichem Erbarmen,
Des Volkes Wohlfahrt ist die höchste Pflicht;
Hat Shrewsbury das Leben dir gerettet,
So will ich England retten — das ist mehr!
ELISABETH.   Man überlasse mich mir selbst! Bei Menschen ist
Nicht Rat noch Trost in dieser großen Sache.   3186
Ich trage sie dem höhern Richter vor.
Was der mich lehrt, das will ich tun — Entfernt euch,
Mylords!

(*Zu Davison.*)

Ihr, Sir! Könnt in der Nähe bleiben!

(*Die Lords gehen ab. Shrewsbury allein bleibt noch einige Augenblicke vor der Königin stehen, mit bedeutungsvollem Blick, dann
entfernt er sich langsam, mit einem Ausdruck des tiefsten
Schmerzes.*)

Zehnter Auftritt
ELISABETH allein.

O Sklaverei des Volksdiensts! Schmähliche   3190
Knechtschaft — Wie bin ichs müde, diesem Götzen

Zu schmeicheln, den mein Innerstes verachtet!
Wann soll ich frei auf diesem Throne stehn!
Die Meinung muß ich ehren, um das Lob
Der Menge buhlen, einem Pöbel muß ichs   3195
Recht machen, dem der Gaukler nur gefällt.
O der ist noch nicht König, der der Welt
Gefallen muß! Nur der ists, der bei seinem Tun
Nach keines Menschen Beifall braucht zu fragen.
      Warum hab ich Gerechtigkeit geübt,   3200
Willkür gehaßt mein Leben lang, daß ich
Für diese erste unvermeidliche
Gewalttat selbst die Hände mir gefesselt!
Das Muster, das ich selber gab, verdammt mich!
War ich tyrannisch, wie die spanische   3205
Maria war, mein Vorfahr auf dem Thron, ich könnte
*Jetzt ohne Tadel Königsblut versprützen!
Doch wars denn meine eigne freie Wahl
Gerecht zu sein? Die allgewaltige
Notwendigkeit, die auch das freie Wollen   3210
Der Könige zwingt, gebot mir diese Tugend.
      Umgeben rings von Feinden hält mich nur
Die Volksgunst auf dem angefochtnen Thron.
Mich zu vernichten streben alle Mächte
*Des festen Landes. Unversöhnlich schleudert   3215
Der römsche Papst den Bannfluch auf mein Haupt,
Mit falschem Bruderkuß verrät mich Frankreich,
*Und offnen, wütenden Vertilgungskrieg
Bereitet mir der Spanier auf den Meeren.
So steh ich kämpfend gegen eine Welt,   3220
Ein wehrlos Weib! Mit hohen Tugenden
Muß ich die Blöße meines Rechts bedecken,
Den Flecken meiner fürstlichen Geburt,
Wodurch der eigne Vater mich geschändet.
Umsonst bedeck ich ihn — Der Gegner Haß   3225
Hat ihn entblößt, und stellt mir diese Stuart,
Ein ewig drohendes Gespenst, entgegen.
      Nein, diese Furcht soll endigen!

F

Ihr Haupt soll fallen. Ich will Frieden haben!
— Sie ist die Furie meines Lebens! Mir　　　　　3230
Ein Plagegeist vom Schicksal angeheftet.
Wo ich mir eine Freude, eine Hoffnung
Gepflanzt, da liegt die Höllenschlange mir
Im Wege. Sie entreißt mir den Geliebten,
Den Bräutgam raubt sie mir! Maria Stuart　　　3235
Heißt jedes Unglück, das mich niederschlägt!
Ist sie aus den Lebendigen vertilgt,
Frei bin ich, wie die Luft auf den Gebirgen.

(*Stillschweigen.*)

Mit welchem Hohn sie auf mich nieder sah,
Als sollte mich der Blick zu Boden blitzen!　　　3240
Ohnmächtige! Ich führe beßre Waffen,
Sie treffen tödlich und du bist nicht mehr!

(*Mit raschem Schritt nach dem Tische gehend und die Feder
ergreifend.*)

Ein Bastard bin ich dir? — Unglückliche!
Ich bin es nur, so lang du lebst und atmest.
Der Zweifel meiner fürstlichen Geburt　　　　　3245
Er ist getilgt, sobald ich dich vertilge.
Sobald dem Briten keine Wahl mehr bleibt,
Bin ich im echten Ehebett geboren!

(*Sie unterschreibt mit einem raschen, festen Federzug, läßt dann
die Feder fallen, und tritt mit einem Ausdruck des Schreckens
zurück. Nach einer Pause klingelt sie.*)

Elfter Auftritt

ELISABETH. DAVISON

ELISABETH.　Wo sind die andern Lords?
DAVISON.　　　　　　　　　　　　Sie sind gegangen,
Das aufgebrachte Volk zur Ruh zu bringen.　　3250
Das Toben war auch augenblicks gestillt,

Sobald der Graf von Shrewsbury sich zeigte.
'Der ists, das ist er!' riefen hundert Stimmen,
'Der rettete die Königin! Hört ihn!
Den bravsten Mann in England.' Nun begann   3255
Der edle Talbot und verwies dem Volk
In sanften Worten sein gewaltsames
Beginnen, sprach so kraftvoll überzeugend,
Daß alles sich besänftigte, und still
Vom Platze schlich.

ELISABETH.   Die wankelmütge Menge,   3260
*Die jeder Wind herumtreibt! Wehe dem,
Der auf dies Rohr sich lehnet! — Es ist gut,
Sir Davison. Ihr könnt nun wieder gehn.

(*Wie sich jener nach der Türe gewendet.*)

Und dieses Blatt — Nehmt es zurück — Ich legs
In Eure Hände.

DAVISON (*wirft einen Blick in das Papier und erschrickt*).
                    Königin! Dein Name!   3265
*Du hast entschieden?

ELISABETH.   — Unterschreiben sollt ich.
Ich habs getan. Ein Blatt Papier entscheidet
Noch nicht, ein Name tötet nicht.

DAVISON.   Dein Name, Königin, unter dieser Schrift
Entscheidet alles, tötet, ist ein Strahl   3270
Des Donners, der geflügelt trifft — Dies Blatt
Befiehlt den Kommissarien, dem Sheriff,
Nach Fotheringhayschloß sich stehnden Fußes
Zur Königin von Schottland zu verfügen,
Den Tod ihr anzukündigen, und schnell,   3275
Sobald der Morgen tagt, ihn zu vollziehn.
Hier ist kein Aufschub, jene hat gelebt,
Wenn ich dies Blatt aus meinen Händen gebe.

ELISABETH.   Ja, Sir! Gott legt ein wichtig groß Geschick
In Eure schwachen Hände. Fleht ihn an,   3280
Daß er mit seiner Weisheit Euch erleuchte.
Ich geh und überlaß Euch Eurer Pflicht. (*Sie will gehen.*)

DAVISON (*tritt ihr in den Weg*). Nein, meine Königin!
    Verlaß mich nicht,
Eh du mir deinen Willen kund getan.
Bedarf es hier noch einer andern Weisheit,   3285
Als dein Gebot buchstäblich zu befolgen?
— Du legst dies Blatt in meine Hand, daß ich
Zu schleuniger Vollziehung es befördre?
ELISABETH. Das werdet Ihr nach Eurer Klugheit —
DAVISON (*schnell und erschrocken einfallend*).   Nicht
    Nach meiner! Das verhüte Gott! Gehorsam   3290
Ist meine ganze Klugheit. Deinem Diener
Darf hier nichts zu entscheiden übrig bleiben.
Ein klein Versehn wär hier ein Königsmord,
Ein unabsehbar, ungeheures Unglück.
Vergönne mir, in dieser großen Sache   3295
Dein blindes Werkzeug willenlos zu sein.
In klare Worte fasse deine Meinung,
Was soll mit diesem Blutbefehl geschehn?
ELISABETH. — Sein Name spricht es aus.
DAVISON. So willst du, daß er gleich vollzogen werde? 3300
ELISABETH (*zögernd*). Das sag ich nicht, und zittre, es zu
    denken.
DAVISON. Du willst, daß ich ihn länger noch bewahre?
ELISABETH (*schnell*). Auf Eure Gefahr! Ihr haftet für die
    Folgen.
DAVISON. Ich? Heilger Gott! — Sprich, Königin! Was willst
    du?
ELISABETH (*ungeduldig*). Ich will, daß dieser unglückselgen
    Sache   3305
Nicht mehr gedacht soll werden, daß ich endlich
Will Ruhe davor haben und auf ewig.
DAVISON. Es kostet dir ein einzig Wort. O sage,
Bestimme, was mit dieser Schrift soll werden!
ELISABETH. Ich habs gesagt, und quält mich nun nicht weiter.
DAVISON. Du hättest es gesagt? Du hast mir nichts 3311
Gesagt — O, es gefalle meiner Königin,
Sich zu erinnern.

ELISABETH (*stampft auf den Boden*).   Unerträglich!
DAVISON.   Habe Nachsicht
  Mit mir! Ich kam seit wenig Monden erst
  In dieses Amt! Ich kenne nicht die Sprache   3315
  Der Höfe und der Könige — in schlicht
  Einfacher Sitte bin ich aufgewachsen.
  Drum habe du Geduld mit deinem Knecht!
  Laß dich das Wort nicht reun, das mich belehrt,
  Mich klar macht über meine Pflicht —   3320

(*Er nähert sich ihr in flehender Stellung, sie kehrt ihm den Rücken
zu, er steht in Verzweiflung, dann spricht er mit entschloßnem
Ton.*)

  Nimm dies Papier zurück! Nimm es zurück!
  Es wird mir glühend Feuer in den Händen.
  Nicht mich erwähle, dir in diesem furchtbaren
  Geschäft zu dienen.
ELISABETH.   Tut, was Eures Amts ist. (*Sie geht ab.*)

Zwölfter Auftritt

DAVISON, *gleich darauf* BURLEIGH.

DAVISON.   Sie geht! Sie läßt mich ratlos, zweifelnd stehn   3325
  Mit diesem fürchterlichen Blatt — Was tu ich?
  Soll ichs bewahren? Soll ichs übergeben?

(*Zu Burleigh, der hereintritt.*)

  O gut! gut, daß Ihr kommt, Mylord! Ihr seids,
  Der mich in dieses Staatsamt eingeführt!
  Befreiet mich davon. Ich übernahm es,   3330
  Unkundig seiner Rechenschaft! Laßt mich
  Zurückgehn in die Dunkelheit, wo Ihr
  Mich fandet, ich gehöre nicht auf diesen Platz —
BURLEIGH.   Was ist Euch, Sir? Faßt Euch. Wo ist das Urteil?
  Die Königin ließ Euch rufen.
DAVISON.   Sie verließ mich   3335

In heftgem Zorn. O ratet mir! Helft mir!
Reißt mich aus dieser Höllenangst des Zweifels.
Hier ist das Urteil — Es ist unterschrieben.

BURLEIGH (*hastig*).   Ist es? O gebt! Gebt her!

DAVISON.   Ich darf nicht.

BURLEIGH.   Was?

DAVISON.   Sie hat mir ihren Willen noch nicht deutlich — 3340

BURLEIGH.   Nicht deutlich! Sie hat unterschrieben. Gebt!

DAVISON.   Ich solls vollziehen lassen — soll es nicht
Vollziehen lassen — Gott! Weiß ich, was ich soll.

BURLEIGH (*heftiger dringend*).   Gleich, augenblicks sollt Ihrs
vollziehen lassen.

Gebt her! Ihr seid verloren, wenn Ihr säumt.   3345

DAVISON.   Ich bin verloren, wenn ichs übereile.

BURLEIGH.   Ihr seid ein Tor, Ihr seid von Sinnen! Gebt!

(*Er entreißt ihm die Schrift, und eilt damit ab.*)

DAVISON (*ihm nacheilend*).   Was macht Ihr? Bleibt! Ihr stürzt
mich ins Verderben.

FÜNFTER AUFZUG

Die Szene ist das Zimmer des ersten Aufzugs

Erster Auftritt

HANNA KENNEDY *in tiefe Trauer gekleidet, mit verweinten Augen und einem großen, aber stillen Schmerz, ist beschäftigt, Pakete und Briefe zu versiegeln. Oft unterbricht sie der Jammer in ihrem Geschäft, und man sieht sie dazwischen still beten.* PAULET *und* DRURY, *gleichfalls in schwarzen Kleidern, treten ein, ihnen folgen viele* BEDIENTE, *welche goldne und silberne Gefäße, Spiegel, Gemälde und andere Kostbarkeiten tragen, und den Hintergrund des Zimmers damit anfüllen. Paulet überliefert der Amme ein Schmuckkästchen nebst einem Papier, und bedeutet ihr durch Zeichen, daß es ein Verzeichnis der gebrachten Dinge enthalte. Beim Anblick dieser Reichtümer erneuert sich der Schmerz der Amme, sie versinkt in ein tiefes Trauern, indem jene sich still wieder entfernen.* MELVIL *tritt ein.*

KENNEDY (*schreit auf, sobald sie ihn gewahr wird*). *Melvil!
    Ihr seid es! Euch erblick ich wieder!
MELVIL. Ja, treue Kennedy, wir sehn uns wieder!   3350
KENNEDY. Nach langer, langer, schmerzenvoller Trennung!
MELVIL. Ein unglücklig schmerzvoll Wiedersehn!
KENNEDY. O Gott! Ihr kommt —
MELVIL.   Den letzten, ewigen
    Abschied von meiner Königin zu nehmen.
KENNEDY. Jetzt endlich, jetzt am Morgen ihres Todes,   3355
    Wird ihr die langentbehrte Gegenwart
    Der Ihrigen vergönnt — O teurer Sir,
    Ich will nicht fragen, wie es Euch erging,
    Euch nicht die Leiden nennen, die wir litten,
    Seitdem man Euch von unsrer Seite riß,   3360
    Ach, dazu wird wohl einst die Stunde kommen!
    O Melvil! Melvil! Mußten wirs erleben,

Den Anbruch dieses Tags zu sehn!
MELVIL.   Laßt uns
　*Einander nicht erweichen! Weinen will ich,
　So lang noch Leben in mir ist, nie soll   3365
　Ein Lächeln diese Wangen mehr erheitern,
　*Nie will ich dieses nächtliche Gewand
　Mehr von mir legen! Ewig will ich trauern,
　Doch heute will ich standhaft sein — Versprecht
　Auch Ihr mir, Euren Schmerz zu mäßigen —   3370
　Und wenn die andern alle der Verzweiflung
　Sich trostlos überlassen, lasset uns
　Mit männlich edler Fassung ihr vorangehn
　Und ihr ein Stab sein auf dem Todesweg!
KENNEDY.   Melvil! Ihr seid im Irrtum, wenn Ihr glaubt,   3375
　Die Königin bedürfe unsers Beistands,
　Um standhaft in den Tod zu gehn! Sie selber ists,
　Die uns das Beispiel edler Fassung gibt.
　Seid ohne Furcht! Maria Stuart wird
　Als eine Königin und Heldin sterben.   3380
MELVIL.   Nahm sie die Todespost mit Fassung auf?
　Man sagt, daß sie nicht vorbereitet war.
KENNEDY.   Das war sie nicht. Ganz andre Schrecken warens,
　Die meine Lady ängstigten. Nicht vor dem Tod,
　Vor dem Befreier zitterte Maria.   3385
　— Freiheit war uns verheißen. Diese Nacht
　Versprach uns Mortimer von hier wegzuführen,
　Und zwischen Furcht und Hoffnung, zweifelhaft,
　Ob sie dem kecken Jüngling ihre Ehre
　Und fürstliche Person vertrauen dürfe,   3390
　Erwartete die Königin den Morgen.
　— Da wird ein Auflauf in dem Schloß, ein Pochen
　Schreckt unser Ohr, und vieler Hämmer Schlag,
　Wir glauben, die Befreier zu vernehmen,
　Die Hoffnung winkt, der süße Trieb des Lebens   3395
　Wacht unwillkürlich, allgewaltig auf —
　Da öffnet sich die Tür — Sir Paulet ists,
　Der uns verkündigt — daß — die Zimmerer

Zu unsern Füßen das Gerüst aufschlagen!

(*Sie wendet sich ab, von heftigem Schmerz ergriffen.*)

MELVIL.   Gerechter Gott! O sagt mir! Wie ertrug   3400
Maria diesen fürchterlichen Wechsel?

KENNEDY (*nach einer Pause, worin sie sich wieder etwas gefaßt
hat*). *Man löst sich nicht allmählich von dem Leben!
Mit einem Mal, schnell, augenblicklich muß
Der Tausch geschehen zwischen Zeitlichem
Und Ewigem, und Gott gewährte meiner Lady   3405
In diesem Augenblick, der Erde Hoffnung
Zurück zu stoßen mit entschloßner Seele,
Und glaubenvoll den Himmel zu ergreifen.
Kein Merkmal bleicher Furcht, kein Wort der Klage
Entehrte meine Königin — Dann erst,   3410
Als sie Lord Leicesters schändlichen Verrat
Vernahm, das unglückselige Geschick
Des werten Jünglings, der sich ihr geopfert,
Des alten Ritters tiefen Jammer sah,
Dem seine letzte Hoffnung starb durch sie,   3415
Da flossen ihre Tränen, nicht das eigne Schicksal,
Der fremde Jammer preßte sie ihr ab.

MELVIL.   Wo ist sie jetzt? Könnt Ihr mich zu ihr bringen?

KENNEDY.   Den Rest der Nacht durchwachte sie mit Beten,
Nahm von den teuern Freunden schriftlich Abschied,   3420
Und schrieb ihr Testament mit eigner Hand.
Jetzt pflegt sie einen Augenblick der Ruh,
Der letzte Schlaf erquickt sie.

MELVIL.   Wer ist bei ihr?

KENNEDY.   Ihr Leibarzt Burgoyn, und ihre Frauen.

Zweiter Auftritt

MARGARETA KURL *zu den* VORIGEN.

KENNEDY.   Was bringt Ihr, Mistreß? Ist die Lady wach?   3425

KURL (*ihre Tränen trocknend*).   Schon angekleidet — Sie
verlangt nach Euch.

KENNEDY.   Ich komme.

(*Zu Melvil, der sie begleiten will.*)

                    Folgt mir nicht, bis ich die Lady
Auf Euren Anblick vorbereitet. (*Geht hinein.*)

KURL.   Melvil!
Der alte Haushofmeister!

MELVIL.   Ja, der bin ich!

KURL.   O dieses Haus braucht keines Meisters mehr!   3430
* — Melvil! Ihr kommt von London, wißt Ihr mir
Von meinem Manne nichts zu sagen?

MELVIL.   Er wird auf freien Fuß gesetzt, sagt man,
Sobald —

KURL.   Sobald die Königin nicht mehr ist!
O der nichtswürdig schändliche Verräter!   3435
Er ist der Mörder dieser teuren Lady,
Sein Zeugnis, sagt man, habe sie verurteilt.

MELVIL.   So ists.

KURL.   O seine Seele sei verflucht
*Bis in die Hölle! Er hat falsch gezeugt —

MELVIL.   Mylady Kurl! Bedenket Eure Reden.   3440

KURL.   Beschwören will ichs vor Gerichtes Schranken,
Ich will es ihm ins Antlitz wiederholen,
Die ganze Welt will ich damit erfüllen.
Sie stirbt unschuldig —

MELVIL.   *O das gebe Gott!

Dritter Auftritt

BURGOYN *zu den* VORIGEN. *Hernach* HANNA KENNEDY.

BURGOYN (*erblickt Melvil*).   O Melvil!

MELVIL (*ihn umarmend*).   Burgoyn!

BURGOYN (*zu Margareta Kurl*).   Besorget einen Becher
Mit Wein für unsre Lady. Machet hurtig.   3446

(*Kurl geht ab.*)

MELVIL.   Wie? Ist der Königin nicht wohl?

BURGOYN.   Sie fühlt sich stark, sie täuscht ihr Heldenmut.
Und keiner Speise glaubt sie zu bedürfen,
Doch ihrer wartet noch ein schwerer Kampf,   3450
*Und ihre Feinde sollen sich nicht rühmen,
Daß Furcht des Todes ihre Wangen bleichte,
Wenn die Natur aus Schwachheit unterliegt.

MELVIL (*zur Amme, die hereintritt*). Will sie mich sehn?

KENNEDY.   Gleich wird sie selbst hier sein.
— Ihr scheint Euch mit Verwunderung umzusehn,   3455
Und Eure Blicke fragen mich: was soll
Das Prachtgerät in diesem Ort des Todes?
— O Sir! Wir litten Mangel, da wir lebten,
Erst mit dem Tode kommt der Überfluß zurück.

Vierter Auftritt

VORIGE. ZWEI ANDRE KAMMERFRAUEN *der Maria, gleichfalls in Trauerkleidern. Sie brechen bei Melvils Anblick in laute
Tränen aus.*

MELVIL.   Was für ein Anblick! Welch ein Wiedersehn!   3460
Gertrude! Rosamund!

ZWEITE KAMMERFRAU.   Sie hat uns von sich
Geschickt! Sie will zum letztenmal allein
Mit Gott sich unterhalten!

(*Es kommen noch zwei weibliche Bediente, wie die vorigen in
Trauer, die mit stummen Gebärden ihren Jammer ausdrücken.*)

Fünfter Auftritt

MARGARETA KURL *zu den* VORIGEN. *Sie trägt einen goldnen
Becher mit Wein, und setzt ihn auf den Tisch, indem sie sich bleich
und zitternd an einen Stuhl hält.*

MELVIL.   Was ist Euch, Mistreß? Was entsetzt Euch so?

KURL. O Gott!

BURGOYN.   Was habt Ihr?

KURL.   Was mußt ich erblicken!   3465

MELVIL. Kommt zu Euch! Sagt uns, was es ist.

KURL.   Als ich
    Mit diesem Becher Wein die große Treppe
    Herauf stieg, die zur untern Halle führt,
    Da tat die Tür sich auf — ich sah hinein —
    Ich sah — o Gott!

MELVIL.   Was saht Ihr? Fasset Euch!   3470

KURL. Schwarz überzogen waren alle Wände,
    Ein groß Gerüst, mit schwarzem Tuch beschlagen,
    Erhob sich von dem Boden, mitten drauf
    Ein schwarzer Block, ein Kissen, und daneben
    Ein blankgeschliffnes Beil — Voll Menschen war   3475
    Der Saal, die um das Mordgerüst sich drängten,
    Und heiße Blutgier in dem Blick, das Opfer
    Erwarteten.

DIE KAMMERFRAUEN. O Gott sei unsrer Lady gnädig!

MELVIL. Faßt Euch! Sie kommt!

Sechster Auftritt

*DIE VORIGEN. MARIA. *Sie ist weiß und festlich gekleidet, am
Halse trägt sie an einer Kette von kleinen Kugeln ein Agnus Dei,
ein Rosenkranz hängt am Gürtel herab, sie hat ein Kruzifix in der
Hand, und ein Diadem in den Haaren, ihr großer schwarzer
Schleier ist zurück geschlagen. Bei ihrem Eintritt weichen die
Anwesenden zu beiden Seiten zurück, und drücken den heftigsten
Schmerz aus. Melvil ist mit einer unwillkürlichen Bewegung auf
die Knie gesunken.*

MARIA (*mit ruhiger Hoheit im ganzen Kreise herumsehend*).
    *Was klagt ihr? Warum weint ihr? Freuen solltet   3480
    Ihr euch mit mir, daß meiner Leiden Ziel
    Nun endlich naht, daß meine Bande fallen,

Mein Kerker aufgeht, und die frohe Seele sich
Auf Engelsflügeln schwingt zur ewgen Freiheit.
Da, als ich in die Macht der stolzen Feindin   3485
Gegeben war, Unwürdiges erduldend,
Was einer freien großen Königin
Nicht ziemt, da war es Zeit, um mich zu weinen!
— Wohltätig, heilend, nahet mir der Tod,
Der ernste Freund! Mit seinen schwarzen Flügeln   3490
Bedeckt er meine Schmach — den Menschen adelt,
Den tiefstgesunkenen, das letzte Schicksal.
Die Krone fühl ich wieder auf dem Haupt,
Den würdgen Stolz in meiner edeln Seele!

(Indem sie einige Schritte weiter vortritt.)

Wie? Melvil hier? — Nicht also, edler Sir!   3495
Steht auf! Ihr seid zu Eurer Königin
Triumph, zu ihrem Tode nicht gekommen.
Mir wird ein Glück zuteil, wie ich es nimmer
Gehoffet, daß mein Nachruhm doch nicht ganz
In meiner Feinde Händen ist, daß doch   3500
Ein Freund mir, ein Bekenner meines Glaubens
Als Zeuge dasteht in der Todesstunde.
— Sagt, edler Ritter! Wie erging es Euch,
In diesem feindlichen, unholden Lande,
Seitdem man Euch von meiner Seite riß?   3505
Die Sorg um Euch hat oft mein Herz bekümmert.
MELVIL. Mich drückte sonst kein Mangel, als der Schmerz
Um dich, und meine Ohnmacht, dir zu dienen!
MARIA. *Wie stehts um Didier, meinen alten Kämmrer?
Doch der Getreue schläft wohl lange schon   3510
Den ewgen Schlaf, denn er war hoch an Jahren.
MELVIL. Gott hat ihm diese Gnade nicht erzeigt,
Er lebt, um deine Jugend zu begraben.
MARIA. Daß mir vor meinem Tode noch das Glück
Geworden wäre, ein geliebtes Haupt   3515
Der teuern Blutsverwandten zu umfassen!
Doch ich soll sterben unter Fremdlingen,

Nur eure Tränen soll ich fließen sehn!
— Melvil, die letzten Wünsche für die Meinen
Leg ich in Eure treue Brust — Ich segne   3520
*Den allerchristlichsten König, meinen Schwager,
Und Frankreichs ganzes königliches Haus —
*Ich segne meinen Öhm, den Kardinal,
Und Heinrich Guise, meinen edlen Vetter.
Ich segne auch den Papst, den heiligen   3525
Statthalter Christi, der mich wieder segnet,
Und den katholschen König, der sich edelmütig
Zu meinem Retter, meinem Rächer anbot —
Sie alle stehn in meinem Testament,
Sie werden die Geschenke meiner Liebe,   3530
Wie arm sie sind, darum gering nicht achten.

(Sich zu ihren Dienern wendend.)

Euch hab ich meinem königlichen Bruder
Von Frankreich anempfohlen, er wird sorgen
Für euch, ein neues Vaterland euch geben.
Und ist euch meine letzte Bitte wert,   3535
Bleibt nicht in England, daß der Brite nicht
Sein stolzes Herz an eurem Unglück weide,
Nicht die im Staube seh, die mir gedient.
Bei diesem Bildnis des Gekreuzigten
Gelobet mir, dies unglückselge Land   3540
Alsbald, wenn ich dahin bin, zu verlassen!
MELVIL (berührt das Kruzifix).   Ich schwöre dirs, im Namen
    dieser aller.
MARIA.   Was ich, die Arme, die Beraubte, noch besaß,
Worüber mir vergönnt ist frei zu schalten,
Das hab ich unter euch verteilt, man wird,   3545
Ich hoff es, meinen letzten Willen ehren.
Auch was ich auf dem Todeswege trage,
Gehöret euch — Vergönnet mir noch einmal
Der Erde Glanz auf meinem Weg zum Himmel!

(Zu den Fräulein.)

Dir, meine Alix, Gertrud, Rosamund,   3550

Bestimm ich meine Perlen, meine Kleider,
Denn eure Jugend freut sich noch des Putzes.
Du, Margareta, hast das nächste Recht
An meine Großmut, denn ich lasse dich
Zurück als die Unglücklichste von allen.   3555
*Daß ich des Gatten Schuld an dir nicht räche,
Wird mein Vermächtnis offenbaren — Dich,
O meine treue Hanna, reizet nicht
Der Wert des Goldes, nicht der Steine Pracht,
Dir ist das höchste Kleinod mein Gedächtnis.   3560
Nimm dieses Tuch! Ich habs mit eigner Hand
Für dich gestickt in meines Kummers Stunden,
Und meine heißen Tränen eingewoben.
Mit diesem Tuch wirst du die Augen mir verbinden,
Wenn es so weit ist — diesen letzten Dienst   3565
Wünsch ich von meiner Hanna zu empfangen.
KENNEDY.   O Melvil! Ich ertrag es nicht!
MARIA.   Kommt alle!
Kommt und empfangt mein letztes Lebewohl.

(*Sie reicht ihre Hände hin, eins nach dem andern fällt ihr zu
Füßen und küßt die dargebotne Hand unter heftigem Weinen.*)

Leb wohl, Margreta — Alix, lebe wohl —
Dank, Bourgoyn, für Eure treuen Dienste —   3570
Dein Mund brennt heiß, Gertrude — Ich bin viel
Gehasset worden, doch auch viel geliebt!
Ein edler Mann beglücke meine Gertrud,
Denn Liebe fodert dieses glühnde Herz —
Berta! Du hast das beßre Teil erwählt,   3575
Die keusche Braut des Himmels willst du werden!
O eile, dein Gelübde zu vollziehn!
Betrüglich sind die Güter dieser Erden,
Das lern an deiner Königin! — Nichts weiter!
Lebt wohl! Lebt wohl! Lebt ewig wohl!   3580

(*Sie wendet sich schnell von ihnen; alle, bis auf Melvil, entfernen
sich.*)

Siebenter Auftritt

MARIA. MELVIL

MARIA.   Ich habe alles Zeitliche berichtigt,
   Und hoffe keines Menschen Schuldnerin
   Aus dieser Welt zu scheiden — Eins nur ists,
   Melvil, was der beklemmten Seele noch
   Verwehrt, sich frei und freudig zu erheben.   3585
MELVIL.   Entdecke mirs. Erleichtre deine Brust,
   Dem treuen Freund vertraue deine Sorgen.
MARIA.   Ich stehe an dem Rand der Ewigkeit,
   Bald soll ich treten vor den höchsten Richter,
   Und noch hab ich den Heilgen nicht versöhnt.   3590
   Versagt ist mir der Priester meiner Kirche.
   Des Sakramentes heilge Himmelspeise
   Verschmäh ich aus den Händen falscher Priester.
   Im Glauben meiner Kirche will ich sterben,
   Denn der allein ists, welcher selig macht.   3595
MELVIL.   Beruhige dein Herz. Dem Himmel gilt
   Der feurig fromme Wunsch statt des Vollbringens.
   Tyrannenmacht kann nur die Hände fesseln,
   Des Herzens Andacht hebt sich frei zu Gott,
   *Das Wort ist tot, der Glaube macht lebendig.   3600
MARIA.   Ach Melvil! Nicht allein genug ist sich
   Das Herz, ein irdisch Pfand bedarf der Glaube,
   Das hohe Himmlische sich zuzueignen.
   Drum ward der Gott zum Menschen, und verschloß
   Die unsichtbaren himmlischen Geschenke   3605
   Geheimnisvoll in einem sichtbarn Leib.
  * — Die Kirche ists, die heilige, die hohe,
   Die zu dem Himmel uns die Leiter baut,
   Die allgemeine, die katholsch e heißt sie,
   Denn nur der Glaube aller stärkt den Glauben,   3610
   Wo Tausende anbeten und verehren,
   Da wird die Glut zur Flamme, und beflügelt
   Schwingt sich der Geist in alle Himmel auf.

— Ach die Beglückten, die das froh geteilte
Gebet versammelt in dem Haus des Herrn! 3615
Geschmückt ist der Altar, die Kerzen leuchten,
Die Glocke tönt, der Weihrauch ist gestreut,
Der Bischof steht im reinen Meßgewand,
Er faßt den Kelch, er segnet ihn, er kündet
*Das hohe Wunder der Verwandlung an, 3620
*Und niederstürzt dem gegenwärtgen Gotte
Das gläubig überzeugte Volk — Ach! Ich
Allein bin ausgeschlossen, nicht zu mir
In meinen Kerker dringt der Himmelsegen.

MELVIL. Er dringt zu dir! Er ist dir nah! Vertraue 3625
*Dem Allvermögenden — der dürre Stab
Kann Zweige treiben in des Glaubens Hand!
*Und der die Quelle aus dem Felsen schlug,
Kann dir im Kerker den Altar bereiten,
Kann diesen Kelch, die irdische Erquickung, 3630
Dir schnell in eine himmlische verwandeln.

(*Er ergreift den Kelch, der auf dem Tische steht.*)

MARIA. Melvil! Versteh ich Euch? Ja! Ich versteh Euch!
Hier ist kein Priester, keine Kirche, kein
Hochwürdiges — Doch der Erlöser spricht:
*Wo zwei versammelt sind in meinem Namen, 3635
Da bin ich gegenwärtig unter ihnen.
*Was weiht den Priester ein zum Mund des Herrn?
Das reine Herz, der unbefleckte Wandel.
— So seid Ihr mir, auch ungeweiht, ein Priester,
Ein Bote Gottes, der mir Frieden bringt. 3640
— Euch will ich meine letzte Beichte tun,
Und Euer Mund soll mir das Heil verkünden.

MELVIL. Wenn dich das Herz so mächtig dazu treibt,
So wisse, Königin, daß dir zum Troste
Gott auch ein Wunder wohl verrichten kann. 3645
Hier sei kein Priester, sagst du, keine Kirche,
Kein Leib des Herrn? — Du irrest dich. Hier ist
Ein Priester, und ein Gott ist hier zugegen.

*(Er entblößt bei diesen Worten das Haupt, zugleich zeigt er ihr eine
Hostie in einer goldenen Schale.)*

— Ich bin ein Priester, deine letzte Beichte
Zu hören, dir auf deinem Todesweg   3650
Den Frieden zu verkündigen, hab ich
*Die sieben Weihn auf meinem Haupt empfangen,
*Und diese Hostie überbring ich dir
Vom heilgen Vater, die er selbst geweihet.

MARIA.   O so muß an der Schwelle selbst des Todes   3655
Mir noch ein himmlisch Glück bereitet sein!
Wie ein Unsterblicher auf goldnen Wolken
*Herniederfährt, wie den Apostel einst
Der Engel führte aus des Kerkers Banden,
Ihn hält kein Riegel, keines Hüters Schwert,   3660
Er schreitet mächtig durch verschloßne Pforten,
Und im Gefängnis steht er glänzend da,
So überrascht mich hier der Himmelsbote,
Da jeder irdsche Retter mich getäuscht!
— Und Ihr, mein Diener einst, seid jetzt der Diener   3665
Des höchsten Gottes, und sein heilger Mund!
*Wie Eure Kniee sonst vor mir sich beugten,
So lieg ich jetzt im Staub vor Euch.

(Sie sinkt vor ihm nieder.)

MELVIL   *(indem er das Zeichen des Kreuzes über sie macht).*
Im Namen
Des Vaters und des Sohnes und des Geistes!
Maria, Königin! Hast du dein Herz   3670
Erforschet, schwörst du, und gelobest du
Wahrheit zu beichten vor dem Gott der Wahrheit?

MARIA.   Mein Herz liegt offen da vor dir und ihm.

MELVIL.   Sprich, welcher Sünde zeiht dich dein Gewissen,
Seitdem du Gott zum letztenmal versöhnt?   3675

MARIA.   Von neidschem Hasse war mein Herz erfüllt,
Und Rachgedanken tobten in dem Busen.
Vergebung hofft ich Sünderin von Gott,
Und konnte nicht der Gegnerin vergeben.

MELVIL. Bereuest du die Schuld, und ists dein ernster   3680
  Entschluß, versöhnt aus dieser Welt zu scheiden?
MARIA. So wahr ich hoffe, daß mir Gott vergebe.
MELVIL. Welch andrer Sünde klagt das Herz dich an?
MARIA. Ach, nicht durch Haß allein, durch sündge Liebe
  Noch mehr hab ich das höchste Gut beleidigt.   3685
  Das eitle Herz ward zu dem Mann gezogen,
  Der treulos mich verlassen und betrogen!
MELVIL. Bereuest du die Schuld, und hat dein Herz
  Vom eiteln Abgott sich zu Gott gewendet?
MARIA. Es war der schwerste Kampf, den ich bestand,   3690
  Zerrissen ist das letzte irdische Band.
MELVIL. Welch andrer Schuld verklagt dich dein Gewissen?
MARIA. Ach, eine frühe Blutschuld, längst gebeichtet,
  Sie kehrt zurück mit neuer Schreckenskraft,
  Im Augenblick der letzten Rechenschaft,   3695
  Und wälzt sich schwarz mir vor des Himmels Pforten.
 *Den König, meinen Gatten, ließ ich morden,
  Und dem Verführer schenkt ich Herz und Hand!
 *Streng büßt ichs ab mit allen Kirchenstrafen,
  Doch in der Seele will der Wurm nicht schlafen.   3700
MELVIL. Verklagt das Herz dich keiner andern Sünde,
  Die du noch nicht gebeichtet und gebüßt?
MARIA. Jetzt weißt du alles, was mein Herz belastet.
MELVIL. Denk an die Nähe des Allwissenden!
  Der Strafen denke, die die heilge Kirche   3705
 *Der mangelhaften Beichte droht! Das ist
  Die Sünde zu dem ewgen Tod, denn das
  Ist wider seinen heilgen Geist gefrevelt!
MARIA. So schenke mir die ewge Gnade Sieg   3709
  Im letzten Kampf, als ich dir wissend nichts verschwieg.
MELVIL. Wie? deinem Gott verhehlst du das Verbrechen,
  Um dessentwillen dich die Menschen strafen?
  Du sagst mir nichts von deinem blutgen Anteil
  An Babingtons und Parrys Hochverrat?
  Den zeitlichen Tod stirbst du für diese Tat,   3715
  Willst du auch noch den ewgen dafür sterben?

MARIA.   Ich bin bereit zur Ewigkeit zu gehn,
   Noch eh sich der Minutenzeiger wendet,
   Werd ich vor meines Richters Throne stehn,
   Doch wiederhol ichs, meine Beichte ist vollendet.   3720
MELVIL.   Erwäg es wohl. Das Herz ist ein Betrüger.
   Du hast vielleicht mit listgem Doppelsinn
   Das Wort vermieden, das dich schuldig macht,
   Obgleich der Wille das Verbrechen teilte.
   Doch wisse, keine Gaukelkunst berückt   3725
   Das Flammenauge, das ins Innre blickt!
MARIA.   Ich habe alle Fürsten aufgeboten,
   Mich aus unwürdgen Banden zu befrein,
   Doch nie hab ich durch Vorsatz oder Tat
   Das Leben meiner Feindin angetastet!   3730
MELVIL.   *So hätten deine Schreiber falsch gezeugt?
MARIA.   Wie ich gesagt, so ists. Was jene zeugten,
   Das richte Gott!
MELVIL.   So steigst du, überzeugt
   Von deiner Unschuld, auf das Blutgerüste?
MARIA.   *Gott würdigt mich, durch diesen unverdienten
   Tod
   Die frühe schwere Blutschuld abzubüßen.   3736
MELVIL (macht den Segen über sie).   So gehe hin, und sterbend
   büße sie!
   Sink ein ergebnes Opfer am Altare,
   Blut kann versöhnen, was das Blut verbrach,
   Du fehltest nur aus weiblichem Gebrechen,   3740
   Dem selgen Geiste folgen nicht die Schwächen
   Der Sterblichkeit in die Verklärung nach.
   *Ich aber künde dir, kraft der Gewalt,
   Die mir verliehen ist, zu lösen und zu binden,
   Erlassung an von allen deinen Sünden!   3745
   *Wie du geglaubet, so geschehe dir!

               (Er reicht ihr die Hostie.)

   Nimm hin den Leib, er ist für dich geopfert!

(Er ergreift den Kelch, der auf dem Tische steht, konsekriert ihn mit stillem Gebet, dann reicht er ihr denselben. Sie zögert, ihn anzunehmen, und weist ihn mit der Hand zurück.)

Nimm hin das Blut, es ist für dich vergossen!
Nimm hin! Der Papst erzeigt dir diese Gunst!
*Im Tode noch sollst du das höchste Recht   3750
Der Könige, das priesterliche, üben!

(Sie empfängt den Kelch.)

Und wie du jetzt dich in dem irdschen Leib
Geheimnisvoll mit deinem Gott verbunden,
So wirst du dort in seinem Freudenreich,
Wo keine Schuld mehr sein wird, und kein Weinen,   3755
Ein schön verklärter Engel, dich
Auf ewig mit dem Göttlichen vereinen.

(Er setzt den Kelch nieder. Auf ein Geräusch, das gehört wird, bedeckt er sich das Haupt, und geht an die Türe, Maria bleibt in stiller Andacht auf den Knien liegen.)

MELVIL *(zurückkommend).*   Dir bleibt ein harter Kampf noch
zu bestehn.
Fühlst du dich stark genug, um jede Regung
Der Bitterkeit, des Hasses zu besiegen?   3760
MARIA.   Ich fürchte keinen Rückfall. Meinen Haß
Und meine Liebe hab ich Gott geopfert.
MELVIL.   Nun so bereite dich, die Lords von Leicester
Und Burleigh zu empfangen. Sie sind da.

Achter Auftritt

DIE VORIGEN. BURLEIGH. LEICESTER *und* PAULET.

Leicester bleibt ganz in der Entfernung stehen, ohne die Augen aufzuschlagen. Burleigh, der seine Fassung beobachtet, tritt zwischen ihn und die Königin.

BURLEIGH.   Ich komme, Lady Stuart, Eure letzten   3765
Befehle zu empfangen.

MARIA.   Dank, Mylord!

BURLEIGH.   Es ist der Wille meiner Königin,
Daß Euch nichts Billiges verweigert werde.

MARIA.   Mein Testament nennt meine letzten Wünsche.
Ich habs in Ritter Paulets Hand gelegt,   3770
Und bitte, daß es treu vollzogen werde.

PAULET.   Verlaßt Euch drauf.

MARIA.   Ich bitte, meine Diener ungekränkt
Nach Schottland zu entlassen, oder Frankreich,
Wohin sie selber wünschen und begehren.   3775

BURLEIGH.   Es sei, wie Ihr es wünscht.

MARIA.   *Und weil mein Leichnam
Nicht in geweihter Erde ruhen soll,
So dulde man, daß dieser treue Diener
Mein Herz nach Frankreich bringe zu den Meinen.
— Ach! Es war immer dort!

BURLEIGH.   Es soll geschehn!   3780
Habt Ihr noch sonst —

MARIA.   Der Königin von England
Bringt meinen schwesterlichen Gruß — Sagt ihr,
Daß ich ihr meinen Tod von ganzem Herzen
Vergebe, meine Heftigkeit von gestern
Ihr reuevoll abbitte — Gott erhalte sie,   3785
Und schenk ihr eine glückliche Regierung!

BURLEIGH.   Sprecht! Habt Ihr noch nicht bessern Rat erwählt?
Verschmäht Ihr noch den Beistand des Dechanten?

MARIA.   Ich bin mit meinem Gott versöhnt — Sir Paulet!
Ich hab Euch schuldlos vieles Weh bereitet,   3790
Des Alters Stütze Euch geraubt — O laßt
Mich hoffen, daß Ihr meiner nicht mit Haß
Gedenket —

PAULET (*gibt ihr die Hand*).   Gott sei mit Euch! Gehet hin im
Frieden!

Neunter Auftritt

DIE VORIGEN. HANNA KENNEDY *und die andern* FRAUEN
*der Königin dringen herein mit Zeichen des Entsetzens, ihnen folgt
der* SHERIFF, *einen weißen Stab in der Hand, hinter demselben
sieht man durch die offen bleibende Türe* GEWAFFNETE
MÄNNER.

MARIA.   Was ist dir, Hanna? — Ja, nun ist es Zeit!
Hier kommt der Sheriff, uns zum Tod zu führen.   3795
Es muß geschieden sein! Lebt wohl! lebt wohl!

(*Ihre Frauen hängen sich an sie mit heftigem Schmerz; zu Melvil.*)

Ihr, werter Sir, und meine treue Hanna
Sollt mich auf diesem letzten Gang begleiten.
Mylord versagt mir diese Wohltat nicht!
BURLEIGH.   Ich habe dazu keine Vollmacht.
MARIA.   Wie?   3800
Die kleine Bitte könntet Ihr mir weigern?
Habt Achtung gegen mein Geschlecht! Wer soll
Den letzten Dienst mir leisten! Nimmermehr
Kann es der Wille meiner Schwester sein,
Daß mein Geschlecht in mir beleidigt werde,   3805
Der Männer rohe Hände mich berühren!
BURLEIGH.   Es darf kein Weib die Stufen des Gerüstes
Mit Euch besteigen — Ihr Geschrei und Jammern —
MARIA.   Sie soll nicht jammern! Ich verbürge mich
Für die gefaßte Seele meiner Hanna!   3810
Seid gütig, Lord. O trennt mich nicht im Sterben
*Von meiner treuen Pflegerin und Amme!
Sie trug auf ihren Armen mich ins Leben,
Sie leite mich mit sanfter Hand zum Tod.
PAULET (*zu Burleigh*).   Laßt es geschehn.
BURLEIGH.   Es sei.
MARIA.   Nun hab ich nichts mehr
Auf dieser Welt —   3816

(**Sie nimmt das Kruzifix, und küßt es.*)

Mein Heiland! Mein Erlöser!
Wie du am Kreuz die Arme ausgespannt,
So breite sie jetzt aus, mich zu empfangen.

*(Sie wendet sich zu gehen, in diesem Augenblick begegnet ihr Auge
dem Grafen Leicester, der bei ihrem Aufbruch unwillkürlich auf-
gefahren, und nach ihr hingesehen. — Bei diesem Anblick zittert
Maria, die Knie versagen ihr, sie ist im Begriff hinzusinken, da
ergreift sie Graf Leicester, und empfängt sie in seinen Armen. Sie
sieht ihn eine Zeitlang ernst und schweigend an, er kann ihren Blick
nicht aushalten, endlich spricht sie.)*

Ihr haltet Wort, Graf Leicester — Ihr verspracht
Mir Euren Arm, aus diesem Kerker mich   3820
Zu führen, und Ihr leihet mir ihn jetzt!

(Er steht wie vernichtet. Sie fährt mit sanfter Stimme fort.)

Ja, Leicester, und nicht bloß
Die Freiheit wollt ich Eurer Hand verdanken.
Ihr solltet mir die Freiheit teuer machen,
An Eurer Hand, beglückt durch Eure Liebe,   3825
Wollt ich des neuen Lebens mich erfreun.
Jetzt, da ich auf dem Weg bin, von der Welt
Zu scheiden, und ein selger Geist zu werden,
Den keine irdsche Neigung mehr versucht,
Jetzt, Leicester, darf ich ohne Schamerröten   3830
Euch die besiegte Schwachheit eingestehn —
Lebt wohl, und wenn Ihr könnt, so lebt beglückt!
Ihr durftet werben um zwei Königinnen,
Ein zärtlich liebend Herz habt Ihr verschmäht,
Verraten, um ein stolzes zu gewinnen,   3835
Kniet zu den Füßen der Elisabeth!
Mög Euer Lohn nicht Eure Strafe werden!
Lebt wohl! — Jetzt hab ich nichts mehr auf der Erden!

*(Sie geht ab, der Sheriff voraus, Melvil und die Amme ihr zur
Seite, Burleigh und Paulet folgen, die übrigen sehen ihr jammernd
nach, bis sie verschwunden ist, dann entfernen sie sich durch die
zwei andern Türen.)*

Zehnter Auftritt

L E I C E S T E R *allein zurückbleibend.*

Ich lebe noch! Ich trag es, noch zu leben!
Stürzt dieses Dach nicht sein Gewicht auf mich!   3840
Tut sich kein Schlund auf, das elendeste
Der Wesen zu verschlingen! Was hab ich
Verloren! Welche Perle warf ich hin!
Welch Glück der Himmel hab ich weggeschleudert!
— Sie geht dahin, ein schon verklärter Geist,   3845
Und mir bleibt die Verzweiflung der Verdammten.
— Wo ist mein Vorsatz hin, mit dem ich kam,
Des Herzens Stimme fühllos zu ersticken?
Ihr fallend Haupt zu sehn mit unbewegten Blicken?
Weckt mir ihr Anblick die erstorbne Scham?   3850
Muß sie im Tod mit Liebesbanden mich umstricken?
* — Verworfener, dir steht es nicht mehr an,
In zartem Mitleid weibisch hinzuschmelzen,
Der Liebe Glück liegt nicht auf deiner Bahn,
Mit einem ehrnen Harnisch angetan   3855
Sei deine Brust, die Stirne sei ein Felsen!
Willst du den Preis der Schandtat nicht verlieren,
Dreist mußt du sie behaupten und vollführen!
Verstumme Mitleid, Augen, werdet Stein,
Ich seh sie fallen, ich will Zeuge sein.   3860

(*Er geht mit entschloßnem Schritt der Türe zu, durch welche Maria
    gegangen, bleibt aber auf der Mitte des Weges stehen.*)

Umsonst! Umsonst! Mich faßt der Hölle Grauen,
Ich kann, ich kann das Schreckliche nicht schauen,
Kann sie nicht sterben sehen — Horch! Was war das?
Sie sind schon unten — Unter meinen Füßen
Bereitet sich das fürchterliche Werk.   3865
Ich höre Stimmen — Fort! Hinweg! Hinweg
Aus diesem Haus des Schreckens und des Todes!

(Er will durch eine andre Tür entfliehn, findet sie aber verschlossen, und fährt zurück.)

Wie? Fesselt mich ein Gott an diesen Boden?
Muß ich anhören, was mir anzuschauen graut?
*Die Stimme des Dechanten — Er ermahnet sie —   3870
— Sie unterbricht ihn — Horch! — Laut betet sie —
Mit fester Stimme — Es wird still — Ganz still!
Nur schluchzen hör ich, und die Weiber weinen —
Sie wird entkleidet — Horch! Der Schemel wird
Gerückt — Sie kniet aufs Kissen — legt das Haupt —   3875

(Nachdem er die letzten Worte mit steigender Angst gesprochen, und eine Weile inne gehalten, sieht man ihn plötzlich mit einer zuckenden Bewegung zusammenfahren, und ohnmächtig niedersinken, zugleich erschallt von unten herauf ein dumpfes Getöse von Stimmen, welches lange forthallt.)

Das zweite Zimmer des vierten Aufzugs

Elfter Auftritt

ELISABETH *tritt aus einer Seitentüre, ihr Gang und ihre Gebärden drücken die heftigste Unruhe aus.*

Noch niemand hier — Noch keine Botschaft — Will es
Nicht Abend werden? Steht die Sonne fest
In ihrem himmlischen Lauf? — Ich soll noch länger
Auf dieser Folter der Erwartung liegen.
— Ist es geschehen? Ist es nicht? — Mir graut   3880
Vor beidem, und ich wage nicht zu fragen!
Graf Leicester zeigt sich nicht, auch Burleigh nicht,
Die ich ernannt, das Urteil zu vollstrecken.
Sind sie von London abgereist — Dann ists
Geschehn, der Pfeil ist abgedrückt, er fliegt,   3885
Er trifft, er hat getroffen, gälts mein Reich,
Ich kann ihn nicht mehr halten — Wer ist da?

Zwölfter Auftritt

ELISABETH. EIN PAGE

ELISABETH. Du kommst allein zurück — Wo sind die Lords?
PAGE. Mylord von Leicester und der Großschatzmeister —
ELISABETH (*in der höchsten Spannung*). Wo sind sie?
PAGE.   Sie sind nicht in London.
ELISABETH.   Nicht?
    — Wo sind sie denn?
PAGE.   Das wußte niemand mir zu sagen. 3891
    Vor Tages Anbruch hätten beide Lords
    Eilfertig und geheimnisvoll die Stadt
    Verlassen.
ELISABETH (*lebhaft ausbrechend*). *Ich bin Königin von Eng-
    land!

        (*Auf und nieder gehend in der höchsten Bewegung.*)

    Geh! Rufe mir — nein, bleibe — Sie ist tot!   3895
    Jetzt endlich hab ich Raum auf dieser Erde.
    — Was zittr ich? Was ergreift mich diese Angst?
    Das Grab deckt meine Furcht, und wer darf sagen,
    Ich habs getan! Es soll an Tränen mir
    Nicht fehlen, die Gefallne zu beweinen!   3900
                (*Zum Pagen.*)

    *Stehst du noch hier? — Mein Schreiber Davison
    Soll augenblicklich sich hierher verfügen.
    Schickt nach dem Grafen Shrewsbury — Da ist
    Er selbst! (*Page geht ab.*)

Dreizehnter Auftritt

ELISABETH. GRAF SHREWSBURY

ELISABETH. Willkommen, edler Lord. Was bringt Ihr?
    Nichts Kleines kann es sein, was Euren Schritt   3905
    So spät hierher führt.

SHREWSBURY.   Große Königin,
  Mein sorgenvolles Herz, um deinen Ruhm
  Bekümmert, trieb mich heute nach dem Tower,
  Wo Kurl und Nau, die Schreiber der Maria
  Gefangen sitzen, denn noch einmal wollt ich   3910
  Die Wahrheit ihres Zeugnisses erproben.
  Bestürzt, verlegen weigert sich der Leutnant
  Des Turms, mir die Gefangenen zu zeigen,
  Durch Drohung nur verschafft ich mir den Eintritt,
  — Gott! Welcher Anblick zeigte mir sich da!   3915
  Das Haar verwildert, mit des Wahnsinns Blicken,
  Wie ein von Furien Gequälter, lag
  Der Schotte Kurl auf seinem Lager — Kaum
  Erkennt mich der Unglückliche, so stürzt er
  Zu meinen Füßen — schreiend, meine Knie   3920
  Umklammernd mit Verzweiflung, wie ein Wurm
  Vor mir gekrümmt — fleht er mich an, beschwört mich,
  Ihm seiner Königin Schicksal zu verkünden;
  Denn ein Gerücht, daß sie zum Tod verurteilt sei,
  War in des Towers Klüfte eingedrungen.   3925
  Als ich ihm das bejahet nach der Wahrheit,
  Hinzu gefügt, daß es sein Zeugnis sei,
  Wodurch sie sterbe, sprang er wütend auf,
  Fiel seinen Mitgefangnen an, riß ihn
  Zu Boden, mit des Wahnsinns Riesenkraft,   3930
  Ihn zu erwürgen strebend. Kaum entrissen wir
  Den Unglückselgen seines Grimmes Händen.
  Nun kehrt' er gegen sich die Wut, zerschlug
  Mit grimmgen Fäusten sich die Brust, verfluchte sich
  Und den Gefährten allen Höllengeistern.   3935
  *Er habe falsch gezeugt, die Unglücksbriefe
  An Babington, die er als echt beschworen,
  Sie seien falsch, er habe andre Worte
  Geschrieben, als die Königin diktiert,
  Der Böswicht Nau hab ihn dazu verleitet.   3940
  Drauf rannt er an das Fenster, riß es auf
  Mit wütender Gewalt, schrie in die Gassen

Hinab, daß alles Volk zusammen lief,
Er sei der Schreiber der Maria, sei
Der Böswicht, der sie fälschlich angeklagt,   3945
Er sei verflucht, er sei ein falscher Zeuge!
ELISABETH. Ihr sagtet selbst, daß er von Sinnen war.
Die Worte eines Rasenden, Verrückten,
Beweisen nichts.
SHREWSBURY.   Doch dieser Wahnsinn selbst
Beweiset desto mehr! O Königin!   3950
Laß dich beschwören, übereile nichts,
Befiehl, daß man von neuem untersuche.
ELISABETH. Ich will es tun — weil Ihr es wünschet, Graf,
Nicht weil ich glauben kann, daß meine Peers
In dieser Sache übereilt gerichtet.   3955
Euch zur Beruhigung erneure man
Die Untersuchung — Gut, daß es noch Zeit ist!
An unsrer königlichen Ehre soll
Auch nicht der Schatten eines Zweifels haften.

Vierzehnter Auftritt

DAVISON zu den VORIGEN.

ELISABETH. Das Urteil, Sir, das ich in Eure Hand   3960
Gelegt — Wo ists?
DAVISON (im höchsten Erstaunen). Das Urteil?
ELISABETH.   Das ich gestern
Euch in Verwahrung gab —
DAVISON.   Mir in Verwahrung!
ELISABETH. Das Volk bestürmte mich, zu unterzeichnen,
Ich mußt ihm seinen Willen tun, ich tats,
Gezwungen tat ichs, und in Eure Hände   3965
Legt ich die Schrift, ich wollte Zeit gewinnen,
Ihr wißt, was ich Euch sagte — Nun! Gebt her!
SHREWSBURY. Gebt, werter Sir, die Sachen liegen anders,
Die Untersuchung muß erneuert werden.
DAVISON. Erneuert? — Ewige Barmherzigkeit!   3970

ELISABETH. Bedenkt Euch nicht so lang. Wo ist die Schrift?
DAVISON (*in Verzweiflung*). Ich bin gestürzt, ich bin ein Mann
   des Todes!
ELISABETH (*hastig einfallend*). Ich will nicht hoffen, Sir —
DAVISON.   Ich bin verloren!
   Ich hab sie nicht mehr.
ELISABETH.   Wie? Was?
SHREWSBURY.   Gott im Himmel!
DAVISON. Sie ist in Burleighs Händen — schon seit gestern.
ELISABETH. *Unglücklicher? So habt Ihr mir gehorcht,   3976
   Befahl ich Euch nicht streng, sie zu verwahren?
DAVISON. Das hast du nicht befohlen, Königin.
ELISABETH. Willst du mich Lügen strafen, Elender?
   Wann hieß ich dir die Schrift an Burleigh geben?   3980
DAVISON. Nicht in bestimmten, klaren Worten — aber —
ELISABETH. Nichtswürdiger! Du wagst es, meine Worte
   Zu deuten? Deinen eignen blutgen Sinn
   Hinein zu legen? — Wehe dir, wenn Unglück
   Aus dieser eigenmächtgen Tat erfolgt,   3985
   Mit deinem Leben sollst du mirs bezahlen.
   — Graf Shrewsbury, Ihr sehet, wie mein Name
 *Gemißbraucht wird.
SHREWSBURY.   Ich sehe — O mein Gott!
ELISABETH. Was sagt Ihr?
SHREWSBURY.   Wenn der Squire sich dieser Tat
   Vermessen hat auf eigene Gefahr,   3990
   Und ohne deine Wissenschaft gehandelt,
   So muß er vor den Richterstuhl der Peers
   Gefodert werden, weil er deinen Namen
   Dem Abscheu aller Zeiten preisgegeben.

Letzter Auftritt

DIE VORIGEN. BURLEIGH, *zuletzt* KENT.

BURLEIGH (*beugt ein Knie vor der Königin*). Lang lebe meine
   königliche Frau,   3995

Und mögen alle Feinde dieser Insel
Wie diese Stuart enden!

(*Shrewsbury verhüllt sein Gesicht, Davison ringt verzweiflungsvoll
die Hände.*)

ELISABETH.   Redet, Lord!
Habt Ihr den tödlichen Befehl von mir
Empfangen?
BURLEIGH.   Nein, Gebieterin! Ich empfing ihn
Von Davison.
ELISABETH.   Hat Davison ihn Euch   4000
In meinem Namen übergeben?
BURLEIGH.   Nein!
Das hat er nicht —
ELISABETH.   Und Ihr vollstrecktet ihn,
Rasch, ohne meinen Willen erst zu wissen?
Das Urteil war gerecht, die Welt kann uns
Nicht tadeln, aber Euch gebührte nicht,   4005
Der Milde unsres Herzens vorzugreifen —
*Drum seid verbannt von unserm Angesicht!

(*Zu Davison.*)

Ein strengeres Gericht erwartet Euch,
Der seine Vollmacht frevelnd überschritten,
Ein heilig anvertrautes Pfand veruntreut.   4010
Man führ ihn nach dem Tower, es ist mein Wille,
Daß man auf Leib und Leben ihn verklage.
— Mein edler Talbot! Euch allein hab ich
Gerecht erfunden unter meinen Räten,
Ihr sollt fortan mein Führer sein, mein Freund —   4015
SHREWSBURY.   Verbanne deine treusten Freunde nicht,
Wirf sie nicht ins Gefängnis, die für dich
Gehandelt haben, die jetzt für dich schweigen.
— Mir aber, große Königin, erlaube,
*Daß ich das Siegel, das du mir zwölf Jahre   4020
Vertraut, zurück in deine Hände gebe.

ELISABETH (*betroffen*).   Nein, Shrewsbury! Ihr werdet mich
   jetzt nicht
   Verlassen, jetzt —
SHREWSBURY.   Verzeih, ich bin zu alt,
   Und diese grade Hand, sie ist zu starr,
   Um deine neuen Taten zu versiegeln.   4025
ELISABETH.   Verlassen wollte mich der Mann, der mir
   Das Leben rettete?
SHREWSBURY.   Ich habe wenig
   Getan — Ich habe deinen edlern Teil
   Nicht retten können. Lebe, herrsche glücklich!
   Die Gegnerin ist tot. Du hast von nun an   4030
   Nichts mehr zu fürchten, brauchst nichts mehr zu achten.

             (*Geht ab.*)

ELISABETH (*zum Grafen Kent, der hereintritt*).   Graf Leicester
   komme her!
KENT.   *Der Lord läßt sich
   Entschuldigen, er ist zu Schiff nach Frankreich.

(*Sie bezwingt sich und steht mit ruhiger Fassung da. Der Vorhang
                  fällt.*)

Notes

Erster Auftritt

Act I, scene 1, stage direction. Fotheringay Castle in North-amptonshire, on the River Nene, about ten miles from Peter-borough and two miles south of the village of Nassington, in earlier times a family seat of the House of York and the birth-place of Richard III, was Crown property. Mary Stuart arrived there on 25 September 1586. Nothing now remains of the castle except a rough mound and a piece of masonry which formed part of the outer wall.

Jane Kennedy was one of the women who were with the Queen of Scots at the end and who witnessed her execution. She had previously been in attendance on the Queen during her imprisonment at Lochleven Castle. By a touch of poetic licence, Schiller makes her Mary's old nurse who has known her from childhood and who helped to bring her up (cf. ll. 359 f. and l. 3813). It is not difficult to see why Schiller thought fit to depart from the historical record on this point. For his dramatic purpose he needed a confidante to whom the heroine could be expected to open her mind without reserve; moreover, the technique of retrospective analysis required someone who would be intimately acquainted with the details of Mary's past. By transforming the Jane Kennedy of history into Hanna Kennedy, the Queen's old nurse, Schiller achieves both objects.

Sir Amyas Paulet, one of Elizabeth's most loyal and trusted servants, had been Captain of Jersey, and subsequently English ambassador at the court of France. He succeeded the Earl of Shrewsbury as Mary's keeper in April 1585, soon after her removal from Sheffield to Tutbury, and he continued to act in that capacity at Chartley Manor and at Fotheringay. He is described as a puritan of the puritans, stern to the point of cruelty and zealous in his sovereign's service. Having been instructed to keep his royal prisoner under the closest surveillance, he devoted himself to his assignment with grim and single-minded efficiency. Schiller's portrayal of him is in keeping with the recorded facts.

Paulet shared the task of guarding Mary with Sir Drue Drury, who was sent to Fotheringay in November 1586. (Schiller found the form 'Drugeon Drury' in the *Histoire d'Angleterre* by Rapin de Thoyras.) Drury was appointed gentleman-usher of the Privy Chamber at the accession of Elizabeth, and knighted in 1579. In the list of *dramatis personae*, Schiller — who gives him a mere walking-on part — describes him, correctly enough, as 'Mary's second keeper'. When we meet him in the opening scene, however, he appears somewhat reduced in status: the stage direction introduces him as Paulet's 'assistant', and he has to carry the tools which the two men use to break into Mary's bureau.

l. 2. In this speech and in the stage direction, the piece of furniture that is being searched is referred to as a cupboard or wardrobe (**Schrank**); later on, however (cf. l. 149), it is described as a bureau (**Pult**): a more appropriate term, since it is being used to hold papers.

l. 17. The stage direction after l. 17 is rather awkwardly phrased. The word **Ressort** is borrowed from French; it has two meanings: (1) a spring, and (2) department, province, sphere of activity. (In present-day German its use is restricted to the second sense, and its gender is neuter.) Schiller here uses it in the sense of a spring; but the verb **öffnen**, strictly speaking, relates not to the spring itself, but either to the lock of which the spring forms a part, or to the hidden compartment to which the mechanism gives access. The meaning is, therefore: 'By releasing a concealed spring, he has opened a secret compartment from which he takes jewels.'

l. 19. The Romans regarded the lily as a symbol of purity and hope; in the Christian era it symbolizes the Virgin Mary. The fleurs-de-lis figured traditionally in the royal arms of France.

l. 23. In poetic language, **Gewehr** can mean any kind of weapon.

l. 32. After the publication of the death sentence, Paulet had Mary's cloth of state removed, since she was now dead in the eyes of the law and without power or dignity.

l. 37. On 17 December 1566, Mary's son James was solemnly baptized into the Catholic faith at Stirling Castle, with much pageantry and feasting. Darnley did not attend either the christening or the subsequent celebrations, though he was

staying at Stirling. Some chroniclers state that at this time
his personal expenditure was curtailed and his silver plate
replaced by pewter.

l. 38. The paramour referred to is Bothwell.

ll. 48 f. refer to Mary's upbringing at the court of Catherine dei
Medici, the consort of King Henry II of France.

l. 51. **Flitter**: tinsel; here (as in l. 154) used in the sense of 'mere
material possessions, luxuries, outward show'.

l. 60. 'Let her be answerable to God and her own conscience.'

l. 62. Paulet here states a general principle (invoked again by
Lord Burleigh in scene 7, ll. 716 ff. and 728 ff.): a crime has to
be punished according to the law of the land in which it was
committed, irrespective of whether the offender is a citizen
of the country or an alien. Cf. Halsbury's *Laws of England*,
3rd ed., vol. 10, London, 1955, p. 293: 'Criminal jurisdiction
is essentially territorial, therefore aliens are liable for
criminal offences committed in England.'

ll. 69 ff. On Parry's and Babington's plots against the life of
Elizabeth, on the Norfolk cabal and its sequel, the Ridolfi
plot, and on the Duke of Norfolk's execution, see the Introduction, Section III.

ll. 79 f. Hyperbole: 'a ceaseless flow of new victims go to the
scaffold for her sake.'

l. 84. Helen of Troy brought misfortune upon the city of her
adoption.

l. 96. **Fodern** is a variant (now obsolete) of *fordern*.

ll. 102 ff. Mary Tudor, 'Bloody Mary', who during her brief reign
(1553–1558) strove to re-establish Catholicism in England
by fire and sword, was the daughter of Catherine of Aragon.
In 1554 she married Philip, the heir to the Spanish throne,
who succeeded his father Charles V in 1556.

ll. 105 ff. As Queen Regent of Scotland, Mary of Guise, Mary
Stuart's mother, had sought to contain the Calvinist
reformation and to safeguard the position of France as the
senior partner in the Franco-Scottish alliance. Immediately
after her death in June 1560, the Treaty of Edinburgh —
signed by representatives of Scotland, England, and France
on 6 July 1560 — put an end to French ascendancy in Scotland. The treaty provided that, apart from a negligible token
force, all French soldiers and all French officials were to be
withdrawn from Scotland; that in the absence of the

sovereign the country was to be governed by a Council of
Scottish nobles; that a Parliament should be summoned
without delay; and that Francis II of France and his consort,
the Queen of Scots, should remove the three lions of
England from their royal coat of arms and thus formally
recognize Elizabeth's title to the English crown. This treaty
Mary refused to ratify.

l. 124. An anticipatory reference to Paulet's nephew Mortimer,
who appears for the first time, very briefly, in scene 3. His
pointedly ill-mannered behaviour in that scene bears out
the description given of him here.

l. 131. **Fluchvoll**: accursed.

Zweiter Auftritt

l. 151. **Brautgeschmeide**: the jewels Mary had worn at her first
wedding, by which she became Dauphine of France.

l. 154. Cf. the note on l. 51.

l. 171. Cf. the note on l. 96. — As for Mary's request for the
administration of the sacrament by a priest of her own
Church, see the Introduction, p. xxxix.

l. 173. **Sich ein Herz fassen** normally means to take heart, to
pluck up courage; here the sense is 'whom I cannot find it
in my heart to trust'.

l. 189. Cf. the note on l. 96, and ll. 1251, 1254, 1618, 2680, 2781,
2895, 3054.

l. 206. **Entraten**: do without.

l. 211. **entladen**: relieve.

ll. 216 ff. The commission appointed to try the Queen of Scots
first assembled at Fotheringay on 11 October 1586. After
the hearing of the evidence, the court was prorogued, to
meet again in London (cf. l. 243). Here the evidence was re-
examined, whereupon a unanimous verdict of guilty was
passed. This was confirmed by Parliament; on 12 November, a deputation from both Houses petitioned the Queen
for the immediate execution of Mary Stuart (cf. ll. 578 ff.).
Mary was promptly informed that she was under sentence
of death, but nearly three more months elapsed before
Elizabeth could be prevailed upon to sanction her execution.
For the sake of dramatic concentration, Schiller has drasti-
cally shortened that final period of waiting and indecision;

in his play, the time between the publication of the sentence and Mary's death is reduced to three days.

l. 220. Mary was denied the help of counsel. This was in accordance with established practice in treason trials.

l. 244. Sir Christopher Hatton, a favourite of Elizabeth's and one of the most influential men in her government, was appointed Lord Chancellor and Keeper of the Great Seal in 1587.

l. 245. **urteln**: a variant, now obsolete, of *urteilen*; cf. the note on l. 978.

Dritter Auftritt

l. 251. Cf. the note on l. 124. Mortimer is a fictitious character, modelled on Babington and Parry.

l. 258. **schmelzt**. In Middle High German there was (1) a strong intransitive verb *smëlzen* (to melt, dissolve), which had the root vowel 'i' in the singular of the present indicative (*ich smilze, si smilzet*); and (2) a corresponding causative verb *smelzen* which was weak and had the root vowel 'e' throughout the present indicative (*ich smelze, si smelzet*). The form used by Schiller recalls this old differentiation of function, which is no longer consistently observed in modern German.

Vierter Auftritt

l. 270. **Flattersinn**: light-heartedness, playfulness, gaiety.

ll. 278 ff. Schiller's heroine comes to see her death on the block as an expiation of Darnley's murder (cf. the Introduction, p. xliv). In order to emphasize this idea, the author has here permitted himself a slight deviation from historical chronology: he makes the first day of his dramatic action coincide with the anniversary of the crime committed at Kirk o' Field. In point of historical fact, Darnley was murdered on 9 February 1567; Mary was executed on 8 February 1587.

l. 284. **Löseschlüssel**: 'the keys of the kingdom of heaven', with reference to St. Matthew, xvi, 19. Cf. also ll. 3743 f.

l. 288. Cf. the note on l. 96.

ll. 318 ff. On the murder of David Rizzio and Mary's marriage to James Hepburn, Earl of Bothwell, see the Introduction, pp. xxii ff.

ll. 329 ff. It was rumoured at the time that Bothwell had gained

his power over the Queen by means of witchcraft. Bishop
John Leslie of Ross, one of Mary's apologists (cf. ll. 497 ff.),
pleaded this excuse to account for her conduct.

ll. 346 ff. After the concluding session of the last Marian Parliament (19 April 1567), Bothwell ceremonially bore the sword
of honour from the Tolbooth, where the Parliament had sat,
back to Holyrood Palace.

l. 352. **Possenspiel**: Bothwell's 'acquittal' after the murder at
Kirk o' Field was a farcical travesty of justice. Cf. the Introduction, p. xxiv.

l. 355. **reicht**: clipped form of *reichte*.

ll. 369 ff. This passage clearly indicates Schiller's basic conception of the tragedy of Mary Stuart. Her guilt — as yet
unexpiated: cf. ll. 274 f. and 3693 ff. — lies in the past; she is
not guilty of the crime for which her English judges are now
sending her to the scaffold (cf. ll. 3731 ff. and 3936 ff.).

l. 377. **Anmaßlich**: presumptuous, incompetent.

Fünfter Auftritt

l. 385. **Überfallen**, which normally refers to a surprise attack or,
in modern jocular usage, to a surprise visit, is here used in
the sense of 'interrupt'.

Sechster Auftritt

ll. 386 f. Charles of Guise, Cardinal of Lorraine and Archbishop
of Rheims, was the brother of Mary of Guise, Mary Stuart's
mother. Like the whole of the Mortimer sub-plot, this
message is fictitious; in historical fact Charles of Guise died
long before his niece, in 1574. He is mentioned again repeatedly: cf. ll. 462 ff., 1744, 2333, 3523.

l. 390. **Blendwerk**: delusion.

ll. 409 ff. Mortimer's account of his conversion to Rome is a
brilliant piece of narrative, broken up, and thus adapted to
the requirements of the dramatic form, by the heroine's
comments and questions.

Schiller was — at least nominally — a Protestant. He had
been reared in an atmosphere of genuine if somewhat
narrow piety, and as a young boy he had for a time thought
of entering the ministry. This early interest in the Church,
however, did not last. Not that he ever lost his respect for
what he regarded as the essence of Christianity; but he

grew increasingly sceptical in his attitude towards religious doctrine and averse to the ritual of organized worship. Unlike such Romantics as Wackenroder, Novalis, Friedrich Schlegel, and Zacharias Werner, Schiller did not feel attracted by Catholicism. In this passage, however, he projects himself, with a poet's imagination, into the state of mind of an impressionable young man to whom his first contact with the Church of Rome comes as an overwhelmingly glorious revelation. 'A religion' (Schiller had written in his *History of the Revolt of the Netherlands*) 'whose pomp and splendour captivate the senses, whose mysterious enigmas leave infinite scope to the imagination, whose principal doctrines insinuate themselves into the soul in picturesque forms, was more suitable for a romantic people who are kept in an eternal state of sensuous enjoyment by a warm lovely sky, by the rich bounty of nature, ever young and ever smiling, and by the manifold magic of art.' That is how Mortimer sees and feels it. After a narrow Puritanical upbringing (ll. 410 ff.) he travels in France and Italy, and in Rome he experiences the full impact of the religious art of the Renaissance: he hears beautiful church music (ll. 435 f.), he sees lovely paintings of the Annunciation, the Nativity, the Madonna, the Transfiguration (ll. 436 ff.), and he witnesses the splendid ceremonial of a Pontifical Mass (ll. 444 ff.). To him, all this is an initiation into a new life; he feels like a prisoner who has suddenly been set free (ll. 454 ff.). After these first impressions, his mind is predisposed to accept the doctrines of the Catholic Church, which are explained to him, with persuasive skill, by the Cardinal of Lorraine himself (ll. 474 ff.).

l. 414. **Predigtstuben**: conventicles.

l. 424. **Weichbild**: area, region. Originally a legal term meaning 'area of civic jurisdiction'. The first part of the compound derives from MHG. *wîch-* (a town): cf. Engl. 'wick', OE. 'wīc'; the second element is related to MHG. *billich* (equitable, lawful); cf. MHG. *unbilde* (injustice).

l. 428. **Bildnergeist**: creative artistic genius.

l. 485. **Suada**: eloquence.

ll. 493 ff. The 'English College' at Douai, founded in 1568 by William Allen (a prominent English Catholic who was later made a Cardinal) for the education of Catholic refugees from England and Scotland, quickly became the centre of a great missionary effort which aimed at re-establishing the old faith in England. Under Jesuit leadership the movement grew, and other seminaries — such as the one at Rheims — had to share the work of training young missionaries for their dangerous task.

ll. 496 ff. Thomas Morgan (a Welshman, not a Scot) and Bishop John Leslie of Ross (who had been a party to the Ridolfi plot) were two of Mary's most active agents in France.

ll. 518 ff. On Mary's claim to the English succession, see the Introduction, p. xix.

ll. 522 ff. Anne Boleyn, Henry VIII's second consort and Elizabeth's mother, was executed on 19 May 1536. During the few days that elapsed between her trial and her execution, Archbishop Cranmer, under orders from his master, the King, had declared Henry's marriage to Anne null and void, thus reducing the offspring of their union to the status of a bastard. This taint of illegitimacy, however, did not prevent Henry from restoring his daughter to the position of a rightful heir to the throne: in the Act of Succession, 1544, she was placed third in line after Edward, the heir apparent, the son of Jane Seymour, and after her elder half-sister Mary, Henry's daughter by his first wife, Catherine of Aragon.

From a Catholic point of view, no formal declaration of illegitimacy was necessary. Henry VIII had failed to obtain papal dispensation for his divorce from Catherine of Aragon, who therefore — whatever the Archbishop of Canterbury might say — remained his lawful wife until her death (7 January 1536). In the eyes of Catholics, Anne Boleyn had never been anything other than the King's concubine; hence Mortimer's reference to their 'adulterous bed' in l. 523. Cf. also ll. 782, 2447 f., 2815, 3243.

l. 553. This use of the genitive in an exclamation is archaic; examples such as *ôwê nu des mordes* and *ach mîner schande* occur in Middle High German. (H. Paul and E. Gierach, *Mittelhochdeutsche Grammatik*, 12th ed., Halle, 1929, p. 170.)

ll. 578 ff. Cf. the note on ll. 216 ff.

l. 590. **Ich weiß, wo man hinaus will**: I know what their plans are.

l. 607. In using Elizabeth's project of a French marriage for his dramatic purpose, Schiller has simplified a long story and altered the chronological sequence of events. As early as 1570 negotiations had been set in train for a marriage between Elizabeth and Henry, the Duke of Anjou, the younger brother of the King of France (whom he succeeded in 1574). These negotiations having broken down, François, Duke of Alençon, Henry's brother and Catherine dei Medici's youngest son, had been suggested as an alternative suitor. This project was revived in 1579, when Alençon sent his friend Jean de Simier over to England to do his wooing for him, and subsequently visited Elizabeth's court in person. The people of England were hostile to the idea of such a marriage, and Elizabeth's Council was divided. The courtship dragged on, Alençon proving a devoted, persistent, and by no means uncongenial suitor. In the autumn of 1581 he visited the Queen again, in a renewed attempt to overcome the hesitations of his bride-to-be. But the prize eluded him, and in June 1584 he died. Elizabeth, his senior by more than twenty years, had outlived her young wooer.

ll. 615 ff. Cf. the note on ll. 522 ff. Like Anne Boleyn before her, Catherine Howard, Henry VIII's fifth wife, was found guilty of adultery and beheaded (1542).

When Edward VI's health was visibly failing, his chief adviser, John Dudley, Earl of Warwick and Duke of Northumberland (the father of Robert Dudley, Earl of Leicester, Elizabeth's favourite), induced the dying young King to sign a will in which his father's Statute of Succession was annulled, the claims of Mary Tudor and Elizabeth set aside, and Lady Jane Grey — a granddaughter of Henry VIII's younger sister Mary — named as successor to the throne. At the same time, Northumberland hastily arranged a marriage between Lady Jane and his own son Guildford Dudley. But the would-be king-maker's ambitious plan collapsed when, after the death of Edward VI, the country rose in support of Mary Tudor's claim. On 22 August 1553, Northumberland was beheaded for high treason, and six months later Lady Jane Grey, the innocent young victim of her father-in-law's ambition, followed him to the scaffold.

l. 630. **Kredenzen**: to offer, serve. Cf. *die Kredenz*: sideboard (from Italian *credènza*).

l. 644. On Anthony Babington's conspiracy see the Introduction, pp. xxix f. C. Tichborne was one of the six members of Babington's conspiracy who had been chosen to assassinate Elizabeth. He was executed at Tyburn on 20 September 1586.

Siebenter Auftritt

l. 685. **Seine Herrlichkeit**: His Lordship.

l. 686. Sir William Cecil, Queen Elizabeth's most faithful servant and trusted adviser from the beginning of her reign in 1558 until his death in 1598, became Lord Burleigh in 1571. He was Elizabeth's Principal Secretary of State from 1558 until 1572, when he vacated his office to become Lord High Treasurer.

l. 700. This is the only explicit reference in Schiller's play to Mary's son, James VI of Scotland and I of England; cf., however, ll. 3514 ff.

l. 705. In modern German the gender of **Komitee** (now spelt thus) is neuter.

l. 709. Hatton: cf. the note on l. 244.

l. 713. **Ungrund**: baselessness.

ll. 716 ff. Cf. the note on l. 62.

ll. 726 f. 'By the comity of nations a reigning sovereign of another state is treated as exempt from the criminal as well as the civil jurisdiction of all other countries. . . . A deposed, exiled or fugitive sovereign who takes refuge in England may, it seems, be liable to the criminal jurisdiction of the country (see *R.* v. *Mary, Queen of Scots*, 1 State Trials 1161).' Halsbury's *Laws of England*, 3rd ed., vol. 10, London, 1955, p. 292.

ll. 728 ff. This point was made by Sir Christopher Hatton in one of the interviews with Mary which preceded her trial: 'You say you are a queen; be it so. But in such a crime the royal dignity is not exempted from answering, neither by the Civil nor Canon law, nor by the Law of Nations, nor of nature. For if such kind of offences might be committed without punishment, all justice would stagger, yea, fall to the ground.' In reply to Mary's protest at the beginning of the trial, the Lord Chancellor, Sir Thomas Bromley, said that 'whosoever (of what place and degree soever he were) should offend against the laws of England, in England, was subject unto the same laws'. (*Trial of Mary Queen of Scots*, ed. by A. Francis Steuart, Notable British Trials Series, Edinburgh and London, 1923, pp. 25 and 28.)

l. 732. Themis is the name of an ancient Greek goddess who kept order at the assemblies of gods and men; hence the name comes to stand for law and justice personified.

l. 738. 'Infamous villains, picked up among the rabble.'

l. 739. **Zungendrescher**: windbags.

ll. 750 ff. John Whitgift, Archbishop of Canterbury since 1583, George Talbot, sixth Earl of Shrewsbury, Sir Thomas Bromley, Lord Chancellor and Keeper of the Great Seal until April 1587 (when he was succeeded by Sir Christopher Hatton), and the Lord Admiral, Charles Howard of Effingham, were all members of the commission appointed to try Mary. Schiller here bestows the office of Keeper of the Great Seal on the Earl of Shrewsbury.

l. 778. **Erkäuflich**: venal.

ll. 781 ff. Cf. the note on ll. 522 ff.

ll. 784 ff. The four reigns referred to are those of Henry VIII (1509–1547), Edward VI (1547–1553), Mary Tudor (1553–1558), and Elizabeth (1558–1603). Each of these rulers aimed at a different kind of religious settlement. By making himself the 'only Supreme Head in earth of the Church of England called *Anglicana Ecclesia*', Henry VIII united the functions of King and Pope in his own person, thus severing the English Church from Rome while leaving much of its Catholic ritual and doctrine intact. Under Edward VI the Protestant Reformation gained ground, vigorously encouraged by those in power. The Marian persecution aimed at undoing its effects and restoring Catholicism and papal supremacy. Finally, under Elizabeth, the reformed Anglican Church emerged from the welter of religious strife. While many people suffered for conscience' sake in these troubled times, many more conformed, acting on the principle of *cuius regio, eius religio*.

In the acting copies of Schiller's play, ll. 766–798 are omitted; so are ll. 294–322, and a number of similar passages of mainly historical interest. In his letter to Goethe of 16 August 1799, Schiller remarked: 'As it is a rich subject from a historical point of view, I have treated the historical aspects somewhat more fully, and included topics which may give pleasure to a thoughtful and well-informed reader. For a performance on the stage, however, where the subject is in any case presented in visible shape, these are unnecessary and, in fact, of no interest, seeing that the bulk of the audience know nothing about history.'

ll. 804 ff. In this passage, **Brite** is used, somewhat inaccurately, in the sense of 'Englishman'.

Rapin de Thoyras reports that Bishop John Leslie of Ross, on trial for his collaboration in the Ridolfi plot, repudiated the evidence of witnesses on the ground that 'par une coutume inviolable qui avoit force de Loi, les Anglois et les Écossois ne pouvoient pas servir de témoins les uns contre les autres'. (*Histoire d'Angleterre*, 2nd ed., vol. 6, The Hague, 1727, p. 310.)

l. 815. In German, the gender of **Tweed** (in both senses) is masculine; the feminine form used here is incorrect.

l. 823. **Zunder**: tinder.

ll. 825 f. In prophetic mood, Mary here foresees the union of the Crowns (1603) and the union of the Parliaments (1707).

l. 831. The olive is a symbol of peace.

ll. 836 f. Henry Tudor, Earl of Richmond, a descendant of the House of Lancaster, was Mary Stuart's great-grandfather. By his victory over Richard III at Bosworth Field (1485) and by his subsequent marriage with Elizabeth of York, he put an end to the Wars of the Roses and united the warring factions.

l. 843. **Probe** is here used in the somewhat unusual sense of 'proof'.

ll. 847 ff. On the Act for the Queen's Surety (27 Eliz. I, cap. 1), see the Introduction, p. xxix. The Act was passed in 1585; the phrase **vom vergangnen Jahr** (l. 847) is therefore not strictly accurate.

ll. 858 ff., however anachronistic in their context, strikingly express the idea — developed by Montesquieu in his *Esprit des Lois* (1748) — that the liberty of the subject is best safe-guarded by the separation of the judicial, executive, and legislative powers in the state.

l. 864. **Fallstrick**: snare, trap.

l. 869. **Wissenschaft** (normally = 'science', 'scholarship') here means 'knowledge', 'information'.

l. 874. The scansion of the verse here requires the first syllable of **Kopien** to be stressed.

ll. 884 ff. Mary's secretaries, Gilbert Curle, a Scotsman, and Claude Nau, a Frenchman, had testified against her. Mary's comment in ll. 887 ff. echoes a passage in Rapin de Thoyras: 'par rapport à ses Secretaires, elle vouloit encore ajouter . . . que leur témoignage n'étoit pas digne de foi, parce que lui ayant prêté serment qu'ils ne découvriroient point ses secrets, ils ne pouvoient être regardez que comme des parjures, lorsqu'ils déposoient contre elle.' (*Histoire d'Angleterre*, 2nd ed., vol. 6, p. 401.) See also the note on ll. 3936 ff.

ll. 901 ff. Hume's comment on Mary's objection to the procedure followed at her trial is of interest: 'The sole circumstance of her defence, which to us may appear to have some force, was her requiring that Nau and Curle should be confronted with her, and her affirming that they never would to her face persist in their evidence. But that demand, however equitable, was not then supported by law in trials of high treason. . . . The clause, contained in an act of the 13th of the Queen, was a novelty; that the species of treason there enumerated must be proved by two witnesses, confronted with the criminal. But Mary was not tried upon that act.' (David Hume, *The History of England*, new ed., vol. 5, London, 1770, pp. 313 f.)

l. 909. **Ein Reichsschluß durchgegangen**: an Act was passed.

l. 910. **Vorstellen**: here = 'confront'.

l. 919. **umgehen**: evade.

l. 928. **Beugt nicht aus**: Don't evade the point. **Ausbeugen** is an odd and questionable substitute for *ausbiegen* or, preferably, *ausweichen*.

ll. 929 f. Don Bernardino de Mendoza was Spanish ambassador at Elizabeth's court from 1578 until 1584, when he was told to leave the country because of the part he had played in the Throckmorton conspiracy. He was subsequently appointed Spanish ambassador to France.

l. 940. Cf. the note on l. 96.

Achter Auftritt

l. 978. **Urtel** is an obsolete variant of *Urteil*.

l. 1005. 'If only illness had worn her out in prison.'

ll. 1015 f. 'Public opinion sides with the unfortunate one.'

ll. 1031 ff. According to the historians, it was Walsingham who
played the unenviable role which Schiller here assigns to
Burleigh. He was instructed to sound Sir Amyas Paulet in
the hope of inducing him to dispose of his royal prisoner by
some secret means, and thus spare Elizabeth the odium of
sanctioning the execution; but Paulet refused 'to make so
foul a shipwreck of his conscience'.

l. 1054. **Schergenamt**: gaoler's office.

l. 1059. **Man breitet aus, sie schwinde**: One lets it be known
that she is wasting away. Cf. *Schwindsucht* = 'consumption'.

l. 1069. The phrase **Brecht den Stab** refers to an ancient German
legal custom. By breaking a white staff in two and throwing
the pieces to the ground, the judge symbolically indicated
that the condemned prisoner's life was forfeit. (Jacob
Grimm, *Deutsche Rechtsaltertümer*, 4th ed., vol. 1, Leipzig,
1899, p. 187.)

ZWEITER AUFZUG

Erster Auftritt

ll. 1077 ff. William Davison was appointed Second Secretary of
State (Sir Francis Walsingham being First Secretary) on 30
September 1586. He was therefore new to his office at the
time of Mary's trial.

ll. 1083 ff. give an eyewitness account of an elaborate pageant
staged in honour of a special French embassy. The emissaries
of the Duke of Anjou have come to gain Elizabeth's consent
to their master's proposal of marriage. Their mission is
allegorically represented in terms of mock-heroic warfare,
Desire laying siege to the Castle of Beauty, with miniature
cannon firing posies of flowers and spurting perfume. One
is reminded of the sumptuous programme of masques and
pageants with which the Earl of Leicester entertained his
royal visitor at Kenilworth in July 1575.

The festive atmosphere at the beginning of Act II contrasts vividly with the sombre mood of Act I. Davison sums
the situation up succinctly in ll. 1113 f.

l. 1085. The past participle **berennt** is archaic; it goes back to
the inflexional pattern of such verbs as *rennen, brennen,*

nennen in Old and Middle High German (cf. H. Paul and E. Gierach, *Mittelhochdeutsche Grammatik*, 12th ed., Halle, 1929, pp. 114 f., or Joseph Wright, *A Middle High German Primer*, 3rd ed., Oxford, 1934, pp. 68 f.). In modern German the principal parts of *rennen* are *rennen, rannte, gerannt*, although forms like *gerennt* occur in dialectal speech (cf. Otto Behaghel, *Geschichte der deutschen Sprache*, Strassburg, 1916, p. 280).

l. 1090. **Auffo(r)derte** is here used in the sense of 'demanded surrender'.

Zweiter Auftritt

l. 1116, stage direction. Guillaume de l'Aubespine, Baron de Châteauneuf, was French ambassador in England at the time of Mary's trial. Bellièvre was sent to England as ambassador extraordinary in 1586 to intercede on Mary's behalf.

ll. 1120 ff. The reference is to the Queen Mother, Catherine dei Medici, whose court was as famous for its elegance and splendour as it was notorious for its profligacy. In his essay on the civil wars in France before the reign of Henry IV, Schiller stresses both aspects: 'Never had the French court been so brilliant as it was since Catherine had become its Queen. She transplanted into French soil all the refined manners of Italy; a spirit of irresponsible gaiety reigned at her court, even amid the horrors of fanaticism and the anguish of civil war. But the blessings which she conferred upon her new country carried with them hidden dangerous poisons which infected the morals of the nation. The young people at court, whom she had freed from the restrictions of ancient custom and initiated into a free and easy life, soon gave themselves up without restraint to the pursuit of pleasure; only too quickly they learnt to lay aside, with the fashions of their forefathers, their forefathers' modesty and virtue.'

l. 1129. **schimmerlos**: lustreless, i.e. modest.

ll. 1157 ff. When Parliament in 1559 urged Elizabeth to marry, she answered: 'In the end, this shall be for me sufficient, that a marble stone shall declare that a Queen, having reigned such a time, lived and died a virgin.'

l. 1163. **Wo ich dahin sein werde**: when I shall be dead and gone.

ll. 1173 ff. A reference to the dissolution of the monasteries under Henry VIII and to the pro-Reformation policy of Edward VI. Henry VIII's motives were, in fact, rather less idealistic than this passage suggests. If his decree set monks and nuns free from the bondage of their monastic vows, this was for many of them a doubtful blessing; on the other hand, his own exchequer derived large capital gains from the confiscation of the abbey lands.

ll. 1192 f. François, Duke of Alençon, had an engaging manner, and Elizabeth found him agreeable company when he visited her in 1579 and again in 1581 (cf. the note on l. 607); but the ambassador's allusion to his manly good looks is not borne out by the historians, who describe him as an ill-favoured youth, disfigured by pock-marks, with a bulbous pitted nose.

ll. 1207 ff. Schiller here modifies an incident which is reported to have occurred during Alençon's second visit, when Elizabeth presented him with a ring. 'Un jour même qu'on célébroit l'anniversaire du Couronnement, la Reine étant en conversation avec lui, tira sa bague de son doigt, et la mit elle-même au doigt du Duc; et cela fit croire à tout le monde qui étoit présent, qu'elle venoit de lui donner sa parole.' (Rapin de Thoyras, Histoire d'Angleterre, 2nd ed., vol. 6, The Hague, 1727, p. 357.)

l. 1221. 'Honi soit qui mal y pense' is the motto of the Order of the Garter, which Elizabeth here confers upon her royal suitor by proxy.

Dritter Auftritt

ll. 1251 and 1254. Cf. the note on l. 96.

l. 1266. Burleigh is referring to the three sons of François de Guise, Mary Stuart's cousins. (The House of Guise was a collateral branch of the family of the Dukes of Lorraine.) The three brothers, leaders of the Catholic League, formed the most powerful Catholic group in France until Christmas 1588, when Gascon assassins, acting on the King's orders, murdered Duke Henry of Guise and his brother, the Cardinal of Lorraine, at the Castle of Blois.

ll. 1271 ff. Cf. the note on ll. 493 ff.

l. 1275. **Schwärmer**: religious fanatic.

l. 1281. Ate, in early Greek mythology the personification of blind folly.

l. 1351. Cf. the note on l. 220.

l. 1356. '(Permit me) to plead for her whom all others have abandoned to her fate.'

l. 1363. **Das Wort reden**: to speak in favour of, to defend.

l. 1368. 'In the dreadful turmoil of civil war.'

l. 1372. Cf. the note on ll. 329 ff.

ll. 1381 ff. In 1554, at an early stage in Mary Tudor's reign, Elizabeth was imprisoned in the Tower for two months, under suspicion of complicity in Thomas Wyatt's rebellion; thereafter she was kept under close restraint for nearly a year at the royal manor of Woodstock in Oxfordshire.

ll. 1388 ff. Cf. the note on ll. 1120 ff.

l. 1404. **für Erstaunen.** This use of *für* as a preposition of cause is not in keeping with current standard usage, which would require *vor*. Cf. l. 2829 and the note.

Vierter Auftritt.

l. 1470. **den großen Weg**: 'the grand tour' of the Continent, which used to put the finishing touch to a young man's education.

l. 1472. **spinnen**: here in the sense of *Ränke spinnen* — to hatch plots.

ll. 1476 f. Cf. the note on ll. 496 ff.

ll. 1490 ff. In February 1570, a bull issued by Pope Pius V (1565–1572) had declared Elizabeth to be excommunicated and deposed. Pope Sixtus V (1585–1590) re-issued the sentence of excommunication on the eve of the Armada (1588).

l. 1498. **Miene** is here used in the sense of 'make-believe', 'false pretence'.

l. 1527. The royal prerogative of mercy is referred to in the adage 'The King's face gives grace'.

l. 1557. **Sich weiden an**: to gloat over.

Fünfter Auftritt

l. 1609. Schiller's poetic diction is remarkable for its lucidity; this line is one of the rare exceptions that prove the rule. Nothing is ever lost, Elizabeth argues, until it is overtly relinquished. She is referring to her public image as a humane and merciful Queen who shrinks from shedding her cousin's blood. By sanctioning the execution and accepting responsibility, she would destroy that image (cf. ll. 1596 ff.). She wants to have it both ways: to see Mary dead, and at the same time to keep up appearances (**Schein**: cf. ll. 1598, and especially 1638 f., 1900 f.).

l. 1618. Cf. the note on l. 96.

l. 1628. **Flor**: veil.

Sechster Auftritt

l. 1632. **Gleisnerisch**: deceitful, hypocritical.

l. 1636. **Fertigkeit**: normally = 'skill', 'facility'; here the meaning is 'readiness (to perform a wicked deed)'.

l. 1646. **Geiz** here means 'ambition' (*Ehrgeiz*); cf. l. 1666, **geizen nach**: crave for, hanker after.

Achter Auftritt

l. 1694. 'What came over him?'

l. 1751. 'I know that they are secretly watching me in order to lure me into a trap.' **Laurend** (cf. MHG. *lûren*) instead of *lauernd*, which is now the standard form.

l. 1753. **In das Garn ziehen**: to ensnare.

ll. 1762 ff. In March 1564, Elizabeth instructed her emissary Thomas Randolph to suggest to the Queen of Scots that Lord Robert Dudley would be a suitable consort for her. (In the same year she created Dudley Baron of Denbigh and Earl of Leicester.) The matter was discussed repeatedly throughout the year 1564.

ll. 1775 ff. Actually, Lord Robert Dudley established himself in the Queen's favour as early as 1559. By the time Mary Stuart was sent to the scaffold, he had therefore played his glamorous — if sometimes frustrating — role as Elizabeth's favourite for close on thirty years, and both Elizabeth and Mary were middle-aged. Here, as elsewhere in the play, Schiller takes considerable liberties with chronology in order to transform the ageing Queens of the history books into women who, though past the first bloom of youth, are still in the prime of life.

l. 1783. **Sultanslaunen**: a despot's whims.

l. 1789. In Greek mythology, Argus was a herdsman who had

eyes all over his body ('Argos Panoptes'). Zeus, having fallen in love with Io, turned her into a heifer in order to conceal her from Hera; when in the end he had to surrender the heifer to his jealous consort, Hera set Argus to guard her.

ll. 1843 f. **die Anstalt ist getroffen**: all preparations are made.

l. 1861. This line should be read in conjunction with ll. 1826 ff.: 'Miraculously, Heaven provides you with the readiest means (of saving her).'

l. 1863. **Es ist nichts mit Gewalt**: force is no use.

l. 1868. Mortimer uses **bedenklich** contemptuously, in the sense of 'hesitant', 'irresolute'.

l. 1879. **verderben**: come to grief.

l. 1900. **So minder wird sie Anstand nehmen**: she will demur the less.

ll. 1919 ff. Thomas Howard, fourth Duke of Norfolk, and Thomas Percy, seventh Earl of Northumberland (who had fled to Scotland after the collapse of the Northern rebellion, but was subsequently extradited), were both executed in 1572.

l. 1932. **Schwindel**: here = 'frenzy'.

l. 1938. To characterize the general spirit of submissiveness in the country, Leicester uses the image of a spring which has gone soft and lost its tension.

Neunter Auftritt

l. 1947. **betreten**: startled, troubled.

l. 1996. **Larve** is here used contemptuously, in the sense of a pretty face, beauty that is only skin-deep.

l. 2020. The expression **sich viel wissen (mit)** — to be proud of something — was in common use in the eighteenth century; it is now obsolete.

l. 2022. **Pochen auf**: boast, vaunt.

ll. 2023 ff. This is the ruse mentioned in ll. 1902 f.: by promising Elizabeth a personal triumph, Leicester persuades her to agree to a meeting with Mary. It is difficult to see, however, what useful result such an interview could be expected to produce at this stage — as Mortimer points out in ll. 1908 ff.

l. 2056. An unusual construction. *Ein Vorwurf* instead of **vorwerfend** would be normal usage.

l. 2064. **Und wenn es dir zuwider**: and if you do not feel like it, if it is repugnant to you.

DRITTER AUFZUG

Erster Auftritt

ll. 2075 ff. The heroine's speeches in the opening scene of Act
III (with the exception of ll. 2119 ff.) deviate from the
general metrical pattern of the play; they are in rhymed
verse, and their rhythm varies, being now iambic, now
dactylic or anapaestic. They are intended to express an
upsurge of joy and hope. The Queen of Scots and her companion have been granted permission to walk in the spacious
grounds of Fotheringay Castle, and Mary regards this
concession as an earnest of greater favours to come (cf. ll.
2121 ff.). Nostalgically she recalls the scenes of her youth;
the open air, the vistas of green fields, the racing clouds all
seem to hold out a promise of freedom.

l. 2106. **schwärmen**: rave, go into raptures.

l. 2116. **Spähertritte**: the footsteps of spies.

l. 2129. 'I see no rhyme or reason in this inconsistency.'

Zweiter Auftritt

l. 2153, stage direction. **Ahndung**: a variant (now obsolete) of
Ahnung — foreboding.

l. 2156. **Verblassen** normally means 'to fade': *eine verblaßte
Tapete* = 'a faded wallpaper'. Here one would have expected
Ihr erblaßt: 'you are turning pale'.

Dritter Auftritt

ll. 2186 f. The Furies, avenging spirits of Greek mythology, are
depicted as winged and snake-haired women. Cf. Schiller's
description of them in *Die Kraniche des Ibykus*:

> Ein schwarzer Mantel schlägt die Lenden,
> Sie schwingen in entfleischten Händen
> Der Fackel düsterrote Glut,
> In ihren Wangen fließt kein Blut;
> Und wo die Haare lieblich flattern,
> Um Menschenstirnen freundlich wehn,
> Da sieht man Schlangen hier und Nattern
> Die giftgeschwollnen Bäuche blähn.

l. 2215. **Es ward mir hart begegnet:** I have been harshly
treated.

l. 2216. **Auf etwas denken** means to plan for something, to devise ways and means of achieving some particular end. A number of examples are given in H. F. Eggeling's *Dictionary of Modern German Prose Usage*, Oxford, 1961, p. 95.

Vierter Auftritt

l. 2244. **geschmeidigt**: made submissive, softened (by misfortune).

ll. 2312 f. 'And wicked men fanned the disastrous flame.'

ll. 2333 f. Cf. the note on ll. 386 f.

ll. 2349 ff. Apart from the Queen Mother, Catherine dei Medici, the Guises were the chief instigators of the massacre of French Huguenots on St. Bartholomew's Day (24 August), 1572.

l. 2374. Armida, a character in Torquato Tasso's epic *La Gerusalemme Liberata* (first published in 1576): a seductive pagan princess who beguiles the crusading Christian knights, making them forget their duty in her enchanted gardens.

ll. 2417 f. In his English adaptation of Schiller's play, Stephen Spender paraphrases this insulting pun as follows:

> To gain the general favour cost you nothing,
> You chose to make your favours general.

This paraphrase, however, does not convey the double meaning of **gemein**. Like 'common' in English, **gemein** means both 'general' and 'vulgar, low'.

l. 2420. Here **Larve** has its usual meaning of 'mask'. Cf. l. 1996, and the note.

l. 2429. This imputation of secret vicious indulgence calls to mind the incident of the famous 'scandal letter' which Hume relates in his *History of England* (new ed., vol. 5, London, 1770, pp. 536 f.). While she was in the custody of the Earl of Shrewsbury, Mary heard much malicious gossip about Elizabeth's private life from the Countess, 'Bess of Hardwick', a notorious intriguer whom she had good cause to dislike. She decided to turn this scandal-mongering to account in a way which, in Hume's words, 'at once gratified her spite against the countess and that against Elizabeth. She wrote to the Queen informing her of all the malicious scandalous stories, which, she said, the countess of Shrewsbury had reported of her.' The letter goes into all sorts of discreditable details, with obvious relish.

ll. 2430 ff. Anne Boleyn had been tried and convicted on a charge of adultery and incest.

l. 2437. **Lammherzig**: meek, faint-hearted. With ll. 2437 ff. cf. Romeo's outburst (III. 1):

> Away to heaven, respective lenity,
> And fire-eyed fury be my conduct now!

ll. 2447 f. Cf. the note on ll. 522 ff.

The meeting of the two Queens works up to a climax and a turning-point; having been engineered — however misguidedly — with a view to improving Mary's position, the interview seals her doom. The only satisfaction the heroine derives from it is that it provides her with an opportunity of giving vent to her pent-up feelings of resentment. Considering the nature of the provocation, Mary's venomous outburst is very understandable; but it is not edifying, and it is difficult to discern in this scene the quality of sublimity which the editors of the *Nationalausgabe* (vol. 9, Weimar, 1948, pp. 370 f.) profess to find in it. Mary displays neither 'moral grace' nor dignity at this stage (cf. the Introduction, Section V); so far from 'taking refuge in the sacred freedom of the spirit', she is here seen as passion's slave.

Sechster Auftritt

ll. 2506 f. **Ablaß** normally means 'indulgence', i.e. 'a remission of the punishment which is still due to sin after sacramental absolution' (*Shorter O.E.D.*). However, in the light of the context, and of ll. 2522 ff., it would appear that Schiller here uses the word in the sense of 'absolution'; in which case this passage is not in tune with Catholic doctrine and practice. The notion of absolution granted in advance has no warrant in Catholic theology, which teaches that no one has power either to permit the commission of sin or to pardon future sin.

l. 2537. Until 1783, Tyburn (the district corresponding to what is now Marylebone) was the principal place of public execution. The gallows stood at a point north-west of the present position of the Marble Arch.

l. 2552. In his letter to Goethe of 18 June 1799, Schiller charac-
terizes his heroine as follows: 'She feels and arouses no
tender affection; her fate is to experience and to kindle only
violent passions.' It is Mortimer who demonstrates this;
his obsessive infatuation reminds us of the violent passions
that led to the murder of Darnley, and thus serves to link
the evils of Mary's past with their expiation at the end of the
play.

l. 2577. **versprützt**: a variant, now obsolete, of *verspritzt*.

Achter Auftritt

l. 2610. Schiller's knowledge of English — and, *a fortiori*, his
familiarity with English (and Irish) proper names — was
superficial; witness the impossible elision by means of
which he fits the name of Mortimer's fellow-conspirator
into the metre of the verse.

l. 2613. John Savage was one of the members of Babington's
conspiracy. Hume describes him as 'a man of desperate
courage, who had served some years in the Low Countries,
under the Prince of Parma'.

l. 2618. **wir alle sind des Todes**: we are all in peril of our lives.

l. 2623. The religious order of the Barnabites (canonically known
as the Regular Clerics of St. Paul) derives its name from the
Church of St. Barnabas at Milan. There seems to be no
evidence to suggest any connection between John Savage
and the Barnabites, and it is not clear why Schiller represents him as a member of the Order.

ll. 2626 f. Cf. the note on ll. 1490 ff.

ll. 2628 ff. Hume states that when Babington was trying to draw
new associates into the conspiracy, 'Savage alone refused
during some time to share the glory of the enterprize with
any others; he challenged the whole to himself'. (*The
History of England*, new ed., vol. 5, London, 1770, p. 301.)

l. 2640. 'If I fail, her coffin shall be my (death-)bed.' **Betten**
normally takes the accusative.

VIERTER AUFZUG

Erster Auftritt

l. 2646. In poetic diction, **ein Franke** may mean either a Frank
or (as it does here) a Frenchman.

Zweiter Auftritt

l. 2660. **Erfinder** is here used in the sense of 'instigator'.

l. 2665, stage direction. **Offizios** = officiously. In present-day German the form of the word is *offiziös*, and its normal meaning is semi-official, off the record (with reference to news or information).

l. 2668. By ancient tradition the person of an ambassador is sacrosanct. In his *De Bello Gallico* (Book III, chap. 9) Caesar relates that the Veneti had detained and imprisoned 'legatos, quod nomen ad omnes nationes sanctum inviolatumque semper fuisset'.

l. 2680. Cf. the note on l. 96.

ll. 2690 f. **bis sich die Wut gelegt**: until the people's rage has died down.

l. 2692. According to Hume, Aubespine was obliged to leave the kingdom because he was thought to have been a party to a plot against Elizabeth's life. Cf. also ll. 2763 ff.

Dritter Auftritt

l. 2710. In Greek mythology, Atlas was a Titan, a son of one of the ancient deities of Greece. As a punishment for his part in the revolt of the Titans against their conquerors, the younger race of gods, he was given the task of supporting the heavens with his hands and shoulders.

l. 2719. 'When did my actions ever shun your face?'

l. 2729. **dahin gegeben**: exposed, left in the lurch.

ll. 2730 ff. Cf. ll. 1410 ff.

Vierter Auftritt

l. 2768. '(How dare you) implicate me in your murderous crime?'

l. 2781. Cf. the note on l. 96.

l. 2797, stage direction. **starr für Erstaunen**: cf. the note on l. 1404, and l. 2829.

ll. 2813 ff. In Mortimer's last speeches, religious fervour is strangely mingled with his devotion to Mary Stuart. The Queen of Scots and the Queen of Heaven have both been betrayed by his fellow-countrymen, and although he invokes them separately in his dying words, the surge of passion that sweeps him to his death embraces them both.

Fünfter Auftritt

l. 2829. Instead of **für Scham**, modern German usage would require *vor Scham*.

ll. 2857 f. **Überführt ihn nicht der Brief?**: Does the letter not convict him?

l. 2875. **eine abgefeimte Bübin**: a thoroughly vicious intriguer.

Sechster Auftritt

l. 2895. Cf. the note on l. 96.

l. 2953. **(Ihr) seid die Glocke Eurer Taten**: you are in the habit of blowing your own trumpet.

Siebenter Auftritt

l. 3054. Cf. the note on l. 96.

Neunter Auftritt

ll. 3129 f. **das sonst sich jubelnd um dich her ergoß**: who in former days came pouring out into the streets and jubilantly crowded round you.

l. 3156. Cf. the note on ll. 1381 ff.

ll. 3175 f. England's return to the obedience of the Papal See under Elizabeth's predecessor Mary Tudor was formally completed when the Pope's Legate, Cardinal Reginald Pole, arrived in London and when the members of both Houses of Parliament knelt in submission before the Papal emissary to receive his absolution (30 November 1554).

Zehnter Auftritt

l. 3207. Cf. l. 2577, and the note.

ll. 3215 f. Cf. ll. 1490 ff., and the note.

ll. 3218 f. Although the 'Invincible Armada' which was intended to conquer England did not sail until May 1588, the first reports of Spanish preparations had reached the English government as early as December 1585.

Elfter Auftritt

l. 3261 f. 'Alas for him who leans on this [broken] reed.'

ll. 3266 ff. Cf. the note on l. 1609. In refusing to give a clear answer to Davison's simple questions (cf. ll. 3266, 3287 f.,

3298, 3300, 3302, 3308 f., 3319 f.), Elizabeth seeks to evade the full responsibility for Mary's execution; by her cruel prevarication, she makes Davison the scapegoat. Hume's account of the matter is as follows: 'But even in this last resolution she could not proceed without displaying a new scene of duplicity and artifice. . . . She at last called Davison, a man of parts, but easy to be imposed on, and who had lately, for that very reason, been made secretary, and she ordered him privately to draw out a warrant for the execution of the Queen of Scots; which, she afterwards said, she intended to keep by her. . . . She signed the warrant; and then commanded Davison to carry it to the chancellor, in order to have the seals affixed to it. Next day she sent Killigrew to Davison, enjoining him to forbear, some time, executing her former orders; and when Davison came and told her, that the warrant had already passed the seals, she seemed to be somewhat moved, and blamed him for his precipitation. Davison, being in some perplexity, acquainted the council with this whole transaction; and they endeavoured to persuade him to send off Beale with the warrant: If the Queen should be displeased, they promised to justify his conduct, and to take on themselves the whole blame of this measure. The secretary, not sufficiently aware of their intention, complied with the advice.' (*The History of England*, new ed., vol. 5, London, 1770, pp. 327 f.)

FÜNFTER AUFZUG

Erster Auftritt

l. 3349. Andrew Melvil, Mary's steward, was allowed to attend his mistress at the end, after having been kept away from her for some time before her execution.

l. 3364. **erweichen**: sadden, move to tears.

l. 3367. **Nächtlich**: black. Cf. Queen Gertrude's appeal to her son in *Hamlet*, I. 2:

> Good Hamlet, cast thy nighted colour off . . .

ll. 3402 ff. On this important passage cf. the Introduction, p. xliv.

Zweiter Auftritt

ll. 3431 ff. In the figure of Margareta Kurl, Schiller has blended two different members of Mary Stuart's entourage, viz.,

Barbara Curle (*née* Barbara Mowbray), the wife of Mary's secretary Gilbert Curle, and his sister Elizabeth, who was one of Mary's most devoted attendants and who witnessed her execution. (It is to Elizabeth Curle that we owe the last authentic painting of Mary, Queen of Scots, the memorial portrait which now hangs in Blairs College near Aberdeen; cf. the Introduction, pp. xxxviii f.) Barbara Curle's son Hippolytus put up a monument to the memory of his mother and his aunt in the Church of St. Andrew at Antwerp, where both ladies were buried.

l. 3439. Cf. ll. 3936 ff., and the note.

l. 3444. Melvil is speaking as a priest (cf. ll. 3649 ff.): he is not at this moment concerned with the possibility of a miscarriage of temporal justice but with the salvation of Mary's immortal soul.

Dritter Auftritt

ll. 3451 ff. According to Hume's account, Mary herself expressed a similar concern in the presence of Burgoyn, her physician, on the night before her execution. 'It was necessary for her, she said, to take some sustenance, lest a failure of her bodily strength should depress her spirits on the morrow, and lest her behaviour should thereby betray a weakness unworthy of herself.'

Sechster Auftritt

l. 3479, stage direction. *Agnus Dei*: a medallion of wax, stamped with the figure of the Lamb of God, which has been blessed by the Pope.

In going down on his knees before Mary, Melvil, in his capacity as master of the Queen's household, is paying his last homage to his sovereign. Note how this contrasts with ll. 3667 f.

ll. 3480 ff. 'You ought to rejoyce rather then weepe for that the end of Mary Stewards troubles is now come.' (Robert Wynckfield's report, quoted by Lionel Cust in *Authentic Portraits of Mary Queen of Scots*, London, 1903, p. 94.)

l. 3509. The name of Mary's butler Didier Siflard is mentioned in *De vita et rebus gestis serenissimae principis Mariae Scotorum reginae*, a collection of writings on Mary, Queen of Scots, by various hands, edited by Samuel Jebb, vol. 2,

London, 1725, p. 656. The name appears in a list of mourners who walked in Mary's funeral cortège at Peterborough, under the heading *Valets de chambre*.

l. 3521. 'His Most Christian Majesty' used to be a title of the Kings of France, as 'His Catholic Majesty' used to be a title of the Kings of Spain (cf. l. 3527).

l. 3523. Cf. the note on ll. 386 f.

l. 3556. Cf. ll. 3435 ff., as well as ll. 3936 ff. and note.

Siebenter Auftritt

l. 3600. Cf. I Corinthians, iv, 20: 'For the kingdom of God is not in word, but in power'; and II Corinthians, iii, 6: 'for the letter killeth, but the spirit giveth life'.

ll. 3607 ff. The whole of this speech expresses the Catholic idea of the visibility of the Church as the divine society instituted by the Son of God, and manifest to the world as the means of salvation.

l. 3620. **Verwandlung**: transubstantiation, the conversion of the substance of the eucharistic bread and wine into the body and blood of Christ.

l. 3621. The prefix is stressed, *niederstürzen* being a separable compound verb. The form **niederstürzt** in this line (instead of *stürzt nieder*) is a case of poetic licence; so is the omission of *vor*.

ll. 3626 f. Cf. Numbers, xvii, 8: 'and, behold, the rod of Aaron for the house of Levi was budded, and brought forth buds, and bloomed blossoms, and yielded almonds.'

l. 3628. Cf. Numbers, xx, 11: 'And Moses lifted up his hand, and with his rod he smote the rock twice: and the water came out abundantly, and the congregation drank.'

ll. 3635 f. Cf. St. Matthew, xviii, 20: 'For where two or three are gathered together in my name, there am I in the midst of them.'

ll. 3637 ff. The notion of a priesthood of all who are pure in heart and conduct has no foundation in Catholic doctrine; absolution pronounced by someone not properly ordained as a priest would, therefore, lack any sacramental validity.

Scenes 1 to 10 of Act V form a closely knit group, their central theme being the heroine's spiritual rebirth. In order to express this inward change of heart in terms of action on the stage, Schiller shows her receiving absolution and the

Sacrament of Holy Communion. Although his presentation of the rite is not (and is not meant to be) liturgically accurate, there is nothing irreverent about it. Nowadays, when viewers can watch the complete ritual of mass on their television screens, few readers of Schiller's play would be disposed to condemn scene 7 as a profanation of a solemn and sacred religious act. In Schiller's day, however, such objections were in fact raised, one of the objectors being his patron, Duke Carl August of Sachsen-Weimar. Schiller made no concession to his critics in the published text of his play; but in deference to his patron's wishes, he agreed to modify the controversial scene in the acting copies, and ll. 3637 ff. provided the starting-point for this revision. In the watered-down version of scene 7 which was acted at Weimar and elsewhere, Melvil is not an ordained priest of the Church of Rome; he merely promises to offer himself for ordination later on: in that way, he suggests, he will retrospectively validate the priestly office which he now takes it upon himself to perform. (It should perhaps be pointed out that from a Catholic point of view this ingenious theory is untenable.) The relevant passage in the stage copies (which was substituted for ll. 3643–3670) runs as follows:

Wenn mich dein Herz dafür erklärt, so bin ich
Für dich ein Priester, diese Kerzen sind
Geweihet, und wir stehn an heilger Stätte.
Ein Sakrament ist jegliches Bekenntnis,
Das du der ewigen Wahrheit tust. Spricht doch
Im Beichtstuhl selbst der Mensch nur zu dem Menschen,
Es spricht der Sündige den Sünder frei;
Und eitel ist des Priesters Lösewort,
Wenn dich der Gott nicht löst in deinem Busen.
Doch kann es dich beruhigen, so schwör ich dir,
Was ich jetzt noch nicht *bin*, ich will es *werden*.
Ich will die Weihn empfangen, die mir fehlen.
Dem Himmel widm ich künftig meine Tage;
Kein irdisches Geschäft soll diese Hände
Fortan entweihn, die dir den Segen gaben
Und dieses Priesterrecht, das ich voraus
Mir nehme, wird der Papst bestätigen.

> Das ist die Wohltat unsrer heilgen Kirche,
> Daß sie ein sichtbar Oberhaupt verehrt,
> Dem die Gewalt inwohnet, das Gemeine
> Zu heilgen und den Mangel zu ergänzen;
> Drum wenn der Mangel nicht in deinem Herzen,
> Nicht in dem Priester ist er — diese Handlung
> Hat volle Kraft, sobald du daran glaubst.

In this revised version of scene 7 there is no reference to formal confession (the word *Beichte* being replaced by *Bekenntnis*), no formal absolution and benediction (the stage direction after l. 3736 and ll. 3743–3745 being omitted), no prayer of consecration, and no administration of the host and the chalice; in place of the ritual action in ll. 3746–3753, there is only a somewhat vague expression of a pious hope:

> Gib hin dem Staube, was vergänglich war,
> Die irdsche Schönheit und die irdsche Krone!
> Und als ein schöner Engel schwinge dich
> In seines Lichtes freudenreiche Zone,
> Wo keine Schuld mehr sein wird und kein Weinen,
> Gereinigt in den Schoß des ewig Reinen!

l. 3652. The Church of Rome recognizes a hierarchy of orders. Though their number has not been officially defined, it is usually given as seven: four minor orders (doorkeepers, readers, exorcists, acolytes) and three major ones (subdeacons, deacons, priests). Only priests are entitled to celebrate mass.

ll. 3653 f. Hume reports that 'having foreseen the difficulty of exercising the rites of her religion, she had had the precaution to obtain a consecrated host from the hands of pope Pius; and she had reserved the use of it for this last period of her life'. (*The History of England*, new ed., vol. 5, London, 1770, p. 330.) Seeing that Pius V died in 1572, Hume's statement should perhaps be treated with some reserve.

ll. 3658 ff. Cf. Acts, xii, 7 ff.

ll. 3667 f. Cf. the note on the stage direction after l. 3479.

ll. 3697 f. Cf. ll. 292 f. and 324 ff.

ll. 3699 f. Cf. ll. 284 ff.

ll. 3706 ff. In this generalized form, Melvil's description of incomplete confession as a sin against the Holy Ghost does not accord with Catholic theology.

l. 3731 f. Cf. ll. 3439, 3936 ff. and note.

ll. 3735 f. Cf. the Introduction, pp. xliv f. and the note on ll. 369 ff. — While these two lines pithily express Mary's own subjective conception of her atonement, the following three lines (3737–3739), which echo her words, sound rather strange in the mouth of a priest, being out of keeping with any Christian idea of penance.

ll. 3743 f. Cf. St. Matthew, xvi, 19: 'And I will give unto thee the keys of the kingdom of heaven: and whatsoever thou shalt bind on earth shall be bound in heaven: and whatsoever thou shalt loose on earth shall be loosed in heaven.'

    This formula of absolution does not conform to the practice of the Church of Rome, which prescribes the use of the words 'Ego absolvo te a peccatis tuis in nomine Patris, et Filii, et Spiritus Sancti', or their vernacular equivalent.

l. 3746. Cf. St. Matthew, ix, 29: 'According to your faith be it unto you.'

ll. 3747 f., and stage direction. The words used here in administering the sacrament do not correspond to the formula of the Roman rite, which ran: 'Corpus Domini nostri Jesu Christi custodiat animam tuam in vitam aeternam.' They are more reminiscent of Protestant forms of the Communion service, which at this point quote the words of Jesus at the Last Supper (St. Matthew, xxvi, 26 ff.; St. Mark, xiv, 22 ff.; St. Luke, xxii, 19 f.). In the Roman canon of the mass, this reference occurs at the consecration of the elements: 'benedixit, fregit, deditque discipulis suis, dicens: Accipite, et manducate ex hoc omnes: Hoc est enim corpus meum.'

    Consecration of one species only — in this case of the wine — is liturgically incorrect; so is consecration divorced from the context of the mass.

ll. 3750 f. On the day of their coronation, the Kings of France used to enjoy the prerogative of communicating in both kinds, a privilege normally reserved for the officiating priest.

Achter Auftritt

ll. 3776 ff. Mary, Queen of Scots, was in fact buried in the Cathedral at Peterborough, with much pomp and circumstance. In 1612, half-way through his English reign, her son, James VI and I, had his mother's body moved to Henry

VII's Chapel in Westminster Abbey. A beautiful marble effigy, the work of the Italian sculptor Torrigiani, was placed on her tomb. The mortal remains of the Queen of Scots were thus finally laid to rest in the national pantheon of England in which Elizabeth lies buried.

Neunter Auftritt

ll. 3812 f. Cf. the note on Act I, scene 1, stage direction.

ll. 3816 ff. 'Lifting up, and kissing the Crucifix, she thus addressed it, "As thy arms, O Jesus, were extended on the Cross; so with the outstretched arms of thy mercy, receive me, and forgive my sins." ' (William Robertson, *The History of Scotland*, 4th ed., London, 1761, vol. II, p. 174.)

Zehnter Auftritt

l. 3852. **dir steht es nicht mehr an**: it no longer befits you.

ll. 3870 ff. Hume gives a spirited account of how Dr. Fletcher, the Anglican Dean of Peterborough, insisted on pressing his unwelcome ministrations upon the Queen of Scots: 'Before the executioners performed their office, the dean of Peterborow stepped forth; and though the Queen frequently told him, that he needed not concern himself about her, that she was settled in the antient catholic and Roman religion, and that she meant to lay down her life in defence of that faith; he still thought it his duty to persist in his lectures and exhortations, and to endeavour her conversion. ... During this discourse the Queen could not forbear sometimes betraying her impatience, by interrupting the preacher. ... During the dean's prayer, she employed herself in private devotion from the office of the Virgin; and after he had finished, she pronounced aloud some petitions in English, for the afflicted church, for an end of her own troubles, for her son, and for Queen Elizabeth; and prayed God, that that princess might long prosper.' (*The History of England*, new ed., vol. 5, London, 1770, pp. 334 ff.)

Zwölfter Auftritt

l. 3894. Cf. ll. 3243 ff.

l. 3901. **Schreiber** (= clerk) is not an appropriate term to apply to a Secretary of State.

Dreizehnter Auftritt

ll. 3936 ff. Since Mary's secretaries, Curle and Nau, had to
authenticate the correspondence that had passed between
their mistress and Anthony Babington (and more particularly Mary's letter of 17 July 1586, the main documentary
proof of her complicity in Babington's plot), their testimony
was an important element in the prosecution's case against
the Queen of Scots. Mary argued that their evidence was
both inadmissible (cf. the note on ll. 884 ff.) and false. 'It
might be that these two might insert into her Letters such
things as she had not dictated unto them. It might be also
that such Letters came to their hands which notwith-
standing she never saw.' (*Trial of Mary Queen of Scots*, ed.
by A. Francis Steuart, Edinburgh and London, 1923, p.
37.)

Whether the evidence of the two secretaries can be regarded as conclusive remains a somewhat controversial
question.

Vierzehnter Auftritt

ll. 3976 ff. G. M. Trevelyan offers a brief and telling comment on
this unworthy episode in Elizabeth's reign: 'Her attempt to
avoid responsibility for the death warrant by ruining her
Secretary Davison was in her worst manner, as the knight-
ing of Drake was in her best.' (*History of England*, London,
1935, p. 353.)

l. 3988. **Mißbrauchen** is an inseparable compound, the stress
being on the verb, not on the prefix. The correct form of the
past participle, therefore, is *mißbraucht*.

Letzter Auftritt

ll. 4007 ff. Lord Burghley was in fact banished from the royal
presence for a time. Davison was tried in the Star Chamber;
he was sentenced to imprisonment during the Queen's
pleasure, and heavily fined (Hume mentions the figure of
£10,000). The ruinous fine appears to have been remitted
later on, but he was detained in the Tower for over eighteen
months.

ll. 4020 f. In point of historical fact, the Earl of Shrewsbury
never held the office of Keeper of the Great Seal. Cf. the
note on ll. 750 ff.

ll. 4032 f. In the concluding lines of the play, Schiller deliberately
sacrifices historical veracity to dramatic effect. The Earl of
Leicester had returned from his ill-starred expedition to the
Netherlands in the winter of 1586. After Mary's execution
he returned to the Low Countries for a few months. Back
in England, he played a leading role in organizing the
country's defences against the Armada, being made
'Lieutenant and General of the Queen's Armies and Com-
panies' in July 1588. Within a few weeks of the wreck of the
Armada, he died of a feverish complaint.

Schiller knew how to round off a play with a pregnant last
line which reverberates in the memory; he had done so
most effectively in *Die Räuber*, in *Fiesco*, in *Don Carlos*, and
in *Wallenstein*, and *Maria Stuart* provides yet another
example. For all her dark and guilty past, Mary is at the end
transfigured by her martyrdom; she is reconciled to her
fate, at one with herself, and at peace. Elizabeth never
achieves that consummation; her equivocation and
hypocrisy alienate her most devoted servants, and the
defection of her beloved favourite turns her triumph to dust
and ashes. **Fassung** in the final stage direction means outward self-control, not (as in l. 3378) inward calm.

PRINTED IN GREAT BRITAIN BY
ROBERT MACLEHOSE AND CO. LTD
THE UNIVERSITY PRESS, GLASGOW